TW.

¿Realmente quiero tener hijos?

¿Realmente quiero tener hijos?

Diana L. Dell, M.D.
Suzan Erem

Traducción
Mercedes Guhl

GRUPO
EDITORIAL
norma

Bogotá, Barcelona, Buenos Aires, Caracas, Guatemala, Lima,
México, Miami, Panamá, Quito, San José, San Juan,
Santiago de Chile, Santo Domingo

Dell, Diana L.
    ¿Realmente quiero tener hijos? / Diana L. Dell y Suzan
Erem; traductora Mercedes Guhl. — Bogotá: Grupo Editorial
Norma, 2004.
    256 p.; 21 cm.
    Título original en inglés: Do I Want to Be a Mom?
    ISBN 958-04-8120-2
1. Embarazo – Aspectos psicológicos 2. Familia – Aspectos
Psicológicos 3. Técnicas de autoayuda 4. Psicología de la mujer
I. Erem, Suzan II. Guhl, Mercedes, 1968-   , tr. III. Tít.
155.6463 cd 20 ed.
AHX6980

        CEP-Banco de la República-Biblioteca Luis Ángel Arango

Título original en inglés
Do I Want to Be a Mom?
A Woman's Guide to the Decision of a Lifetime
de Diana L. Dell y Suzan Erem
Una publicación de The McGraw-Hill Companies, Inc.
Two Penn Plaza, Nueva York, NY 10121-2298
Copyright © 2004 por The McGraw-Hill Companies, Inc.

Edición, Adriana Delgado
Corrección, Ana Cristina Robledo
Diseño de cubierta, María Clara Salazar
Ilustración de cubierta, Miguel Martínez
Armada electrónica, Inés Téllez

Este libro se compuso en caracteres Meridien

ISBN 958-04-8120-2

Para Ayshe, mi maravillosa hija.
Que toda mujer que se decida a dar el salto a la maternidad
sea tan afortunada como para tener una hija como tú.
Suzan Erem

Para mi madre, que en paz descanse.
Diana Dell

Contenido

1 Nuestros instintos, metas y conflictos   1

Prefacio

Para la mayoría de las mujeres, las decisiones fundamentales se toman en la oscuridad. A veces, literalmente a oscuras. No siempre alcanzamos a vislumbrar las alternativas que se abren ante nosotras. No siempre sabemos qué es lo mejor para nosotras. No siempre podemos predecir cómo van a resultar las cosas. Este libro aspira a arrojar luz sobre una decisión que acompaña a toda mujer a lo largo de su vida: El hecho de tener hijos o no.

Esa iluminación surge de las voces de mujeres que nos han relatado sus historias y que respondieron preguntas que muchas mujeres se plantean alrededor de la maternidad, pero que no se atreven a formular: ¿Cómo afectará mi vida profesional? ¿Qué efectos tendrá sobre mi cuerpo y mi salud? ¿Qué consecuencias tendrá sobre mi matrimonio? ¿Cuánto tiempo consume tener un hijo? ¿Será que un niño puede llegar a quererme de verdad? ¿De dónde saco la fuerza para decir que no quiero tener hijos? ¿Cuánto más puedo esperar antes de tener que decidir? ¿Qué pasa si decido no tener hijos?

La Organización Mundial de la Salud calcula que en todo el mundo se producen entre 200 y 225 millones de embarazos al año. Una tercera parte de esta cifra, 75 millones, no son embarazos deseados, según las organizaciones Family Care International y Safe Motherhood Inter-Agency Group. Otro estudio, llevado a cabo por el renombrado Instituto Alan Guttmacher, concluyó que el 38 por ciento de los embarazos no es intencional y que, de este porcentaje, un 22 por ciento termina en aborto. Ese mismo estudio calcula también que en Europa del Este, el 63 por ciento de los embarazos no es intencional; en América Latina sucede lo mismo con un 52 por ciento; y en América del Norte, Nueva Zelanda, Australia y Japón, con un 45 por ciento.

Las mujeres en los Estados Unidos dan a luz a 4 millones de bebés cada año, por cientos de razones diferentes. La mayoría de esos bebés es traído al mundo con una intención clara, pero algunos no. En el momento de la concepción, la mitad de los embarazos no ha sido planeada. La mayoría de esos embarazos se debe a un error de cálculo. De esta mayoría, una proporción del 15 al 18 por ciento se convertirá en bebés no deseados, también por cientos de razones distintas. Hay otra estadística importante que ha venido elevándose en los últimos veinticinco años: la cantidad de mujeres en los Estados Unidos que no tienen hijos ha llegado casi a duplicarse.

Y si usted se está preguntando si quiere convertirse en madre o no, entonces hay una sola pregunta que le sirve de punto de partida: ¿Voy a ser más feliz con hijos o sin ellos?

LA HISTORIA DE SUZAN

Mi madre era alcohólica y además sufría de trastorno de personalidad bipolar. Esas dos enfermedades, que no recibían tratamiento, dieron pie a mucho sufrimiento en mi niñez. En 1986, a los 22 años, quedé embarazada. Por temor a convertirme en alguien semejante a mi madre, interrumpí el embarazo. Jamás me he arrepentido de haberlo hecho.

Al año de haberme casado con el hombre de quien me embaracé la primera vez, el control de la natalidad falló de nuevo. Le dije a mi esposo que aún no quería tener un bebé porque no estaba convencida de llegar a ser una buena madre. Le ofrecí un divorcio en términos amistosos, de manera que él pudiera buscar a alguien que sí quisiera tener hijos. Rechazó la oferta. Según dijo, yo todavía era joven. Teníamos mucho tiempo. Aborté por segunda vez y seguí adelante con mi carrera.

Durante los años que pasamos juntos, el dilema de tener hijos o no pasó a ser, en forma muy sutil, una pregunta de cuándo tendríamos hijos. Llevábamos siete años juntos, yo tenía 29 años y estaba en busca de empleo. Vivíamos en una ciudad nueva. Mi padre estaba desahuciado. Mi esposo tenía un trabajo bien pagado. Era el momento adecuado.

Cuando le dije a mi ginecóloga que le tenía miedo a la maternidad, el único libro que pudo recomendarme fue *¿Qué esperar cuando se está esperando?*, que no me sirvió mucho.

Luego de intentarlo durante seis meses, quedé embarazada, y a los nueve meses di a luz a una niñita preciosa y despierta, con una personalidad fuerte y un carácter generoso. Y todos los días me atormentaba pensando que fuera a fracasar como mamá.

No fui capaz de anticipar las presiones del trabajo y del hogar, el hecho de no contar con el apoyo y la ayuda de la familia, las desventajas de estar en una ciudad desconocida y lo que implicaba tener un marido cuyo trabajo lo mantenía lejos de casa con frecuencia. Finalmente, y debido a la depresión, la falta de modelos y un matrimonio que se iba deteriorando, me enfrenté a la decisión más desesperada: Concluí que podría ser una mejor mamá a distancia y me fui a otro lugar.

A medida que mi hija va creciendo, me involucro más en su vida y me he vuelto mucho más segura como madre. Nos encariñamos una y otra vez, entre "festivales de cosquillas" y "peleas de medias sucias", abrazos y consentimientos en el sofá o simplemente hablando con calma sobre Dios, cosas de la escuela y amigas. Muchas madres relatan experiencias semejantes: Que cada día sus hijos son una fuente inagotable de alegría y risa, desafío personal y crecimiento interior. La única diferencia es que yo no veo a mi hija todos los días, y a veces eso nos entristece mucho a las dos.

Mi historia no es tan insólita, pero se habla poco de cosas así. Hay más de dos millones de familias en los Estados Unidos cuya cabeza es un hombre soltero. Esto podría considerarse un indicio de que hoy en día mucha gente supone que no sólo las mujeres son capaces de criar y educar bien a un hijo. Oprah Winfrey afirmó que en 2002, cuando quiso hacer un *talk-show* sobre madres que habían encontrado sorpresas en los desafíos planteados por la maternidad, recibió una cantidad de propuestas y solicitudes por parte del público tal que superó a cualquier otro tema que haya convocado en los 18 años que lleva haciendo su programa.

LA HISTORIA DE DIANA

Recapitulando, no recuerdo haber pensado jamás algo como "cuando tenga hijos..." a la hora de planear mi futuro. Nunca tomé la decisión de no tener hijos en forma activa o consciente. Pero a medida que avanzaba en mi etapa adulta, los logros y las obligaciones profesionales eran mucho más importantes que cualquier logro o alegría familiar que me pudiera imaginar. Mi carrera profesional sigue siendo mi principal motor.

Pero como profesional que se acercaba a los 40, y luego seguía hacia los 50, he llegado a pensar que las mujeres como yo con frecuencia nos sentimos obligadas a ser creativas de otras maneras, ya que las mujeres con hijos ya han creado un monumento viviente a su vida con el que nosotras no contamos.

Soy una persona bastante maternal y me encantan los perritos y los niños, y en las reuniones casi siempre termino entre unos y otros. Recuerdo con cariño lo feliz que me ha hecho interactuar con los bebés que he traído al mundo cuando sus mamás me los han llevado al consultorio de visita. Pero me da risa recordar que me ha hecho igualmente feliz devolverle el niño a su madre. Durante mi prolongada vida profesional, he tenido que ver con miles de mujeres embarazadas. He compartido sus dichas y tristezas, sin pensar jamás que era una experiencia por la que yo tenía que pasar para sentirme plena. No me arrepiento.

En mi trabajo como gineco-obstetra y además psiquiatra, me doy perfecta cuenta de que la vida moderna ha hecho que el tener hijos deje de ser algo automático, regido por la biología, para pasar a ser un asunto muy complejo desde el punto de vista psicológico y social. Tomar la decisión "equivocada" en cualquiera de las dos direcciones puede afectar profundamente la salud tanto física como mental de una mujer y de sus seres queridos.

Es por eso que escribimos este libro.

ESTE LIBRO

Realizamos entrevistas, encuestas y sostuvimos conversaciones con mujeres de todas las condiciones y profesiones, dentro de una amplia gama de etnias. En este libro se reúnen comentarios de mujeres embarazadas, mamás primerizas y veteranas y de aquéllas cuyos hijos ya se han independizado. También hay testimonios de mujeres que jamás sintieron el deseo de tener un bebé y de otras que querían tenerlo pero no pudieron. Hemos cambiado los nombres de las mujeres, pero no sus historias.

Formulamos las preguntas y recogimos la información que usted necesita tener en cuenta: El costo, la red de relaciones con personas que podrían ayudarle a criar a sus hijos y los efectos sobre su relación de pareja, su vida profesional y su espíritu. Dejamos que las mujeres que lo han experimentado cuenten sus experiencias, dentro de un marco de referencia que le permitirá examinar sus motivaciones y tomar su propia decisión.

El libro está organizado de manera que usted pueda encontrar fácilmente la sección que trata el tema que le interesa, o bien puede ir de una sección a otra según su deseo, o leerlo de principio a fin. Nuestra esperanza es que, como quiera que se lea, este libro sirva para iluminarle el camino hacia la toma de la decisión más trascendental del mundo.

Introducción

Desde una edad temprana, la mayoría de las mujeres entablamos un diálogo interior constante sobre el tema de tener hijos. No nos damos mucha cuenta, pero este diálogo que se da en nuestra mente o con nuestras amigas, permanece en nosotros, emerge a lo largo de la juventud, se oye con más fuerza al final de la adolescencia, se convierte en un rumor constante que a menudo compartimos con nuestra pareja y termina en la madurez a manera de una afable conversación acompañada de un café o una amarga discusión con nosotras mismas.

¿Quiero ser madre? ¿Seré una buena madre? ¿Me arrepentiré más tarde de no haber tenido hijos? ¿Cuál de las dos alternativas, tener hijos o no tenerlos, me hará más feliz? Éstas son preguntas para las cuales hay quienes tienen una respuesta fácil y directa y hay quienes pierden el sueño buscando cómo responder. Para esas mujeres que no han encontrado la respuesta fácilmente es que escribimos este libro. Puede parecer que estamos tratando de simplificar ingenuamente la decisión de la maternidad, pero no es así. Es una decisión estrictamente personal y, claro está, debe seguirlo siendo. Lo que intentamos hacer es compartir las voces de mujeres que nos han dado sus opiniones francas y verdaderas sobre el asunto. Nos ocuparemos de las preocupaciones y temores que se han planteado muchas mujeres, así como de las razones por las cuales muchas se deciden por ser madres: Por el amor, la diversión y la plenitud que han encontrado en ello.

Para muchas mujeres, el simple hecho de poder decidir entre ser mamás o no resulta revolucionario. La generación de nuestras madres, en su mayoría, fue la primera en tener acceso al control de la natalidad en su etapa reproductiva. Pero por la novedad, quizás no alcanzaron a percibir muchas otras opciones de vida. Hay excepciones, claro está, pero la novedad de tener la posibilidad de elegir hace más difícil tomar la decisión, al igual que la oportunidad de una carrera profesional o la necesidad económica o ambas.

Antes de empezar a escribir, exploramos la fuente de los deseos femeninos con respecto a tener hijos o no. Les preguntamos a las mujeres por qué tenían determinadas reacciones frente a la maternidad y cuándo se habían sentido así por primera vez. Eso nos ayudaría a entender de qué manera comenzamos, cada una de nosotras, nuestro diálogo interno sobre la maternidad.

SIEMPRE PENSÉ QUE IBA A TENER HIJOS

Muchas mujeres van por la vida bajo el supuesto de que tendrán hijos. Parte de esta actitud se deriva de lo que algunos llaman nuestra "sociedad promaternidad", en la que toda mujer supone que tendrá hijos porque "es lo que toca".

Creo que nunca me detuve a pensar "quiero ser mamá". Sólo sabía que en algún momento de mi vida tendría un bebé. Siempre me imaginé con hijos.

—PAMELA

Siempre pensé que iba a tener hijos, porque eso era lo que hacían las mujeres. Todas las mujeres de mi familia tienen niños: Mis tías, mi mamá. Jamás se me pasó por la mente el no tenerlos, hasta que los tuve. Nunca se me ocurrió que se pudiera escoger no tenerlos.

—JULIANA

En la mayoría de los casos, las mujeres que tenían esos supuestos siguieron adelante y tuvieron hijos. Pero sigue existiendo una contraprestación: Hay momentos en que una mujer reflexiona sobre su vida y se pregunta qué hubiera pasado de haber tomado otro camino. Tomar una decisión consciente ayuda a reducir el atractivo que ese otro camino pueda tener.

JAMÁS QUISE TENER HIJOS

Algunas mujeres que jamás se imaginaron como madres, tuvieron hijos por toda una serie de razones. De ellas, algunas se han sorprendido al descubrir que con el tiempo van deseando tener un bebé, bien sea porque se enfrentan a un embarazo no planeado, o porque se enamoran, o porque con los años han desarrollado una nueva perspectiva. Otras se resignaron a la idea de que los hijos eran parte inevitable de su futuro, bien a causa de un embarazo no planeado o sencillamente porque esa opción les parecía menos complicada que la de no tener niños. Por último, están también las que sabían que no querían tener hijos, y que no los tuvieron.

Jamás quise tener un hijo. Me daba miedo el parto. Se decía en mi familia que a mi madre se le habían roto las vértebras inferiores en el parto y eso me aterraba. En retrospectiva, luego de tener a mi hija, creo que no hubiera querido seguir por la vida sin esa experiencia. Ser mamá lo obliga a uno a crecer y a enfrentarse a su propia infancia. Hace que a uno se le amplíe el panorama.

—EDITH

Nunca supe que quería tener hijos. Jamás se me pasó por la cabeza hasta que los tuve, y de esto hace más de treinta años. Soy católica, y la única manera de vivir la sexualidad era casándose. Me casé, y no se nos permitía usar nada para evitar un embarazo. Criar a mis hijos fue la etapa más feliz de mi vida.

—BETTY

Mis planes en la actualidad son que mis hijos maduren y se independicen y luego disfrutar de lo que me queda de mí misma y de la vida. Pienso trabajar hasta que me obliguen a jubilarme.

—JOANNA

Entre aquéllas que decidieron no tener hijos, hay algunas que, más adelante en la vida, examinan su infancia y encuentran una dinámica particular que las alejó de la maternidad. Otras tuvieron infancias normales pero están convencidas de que los hijos no son para ellas y que tienen otras cosas que quieren hacer en la vida.

A los 38 años todavía me hacen comentarios al respecto, sobre todo mis parientes lejanos y muchachos jóvenes. "¿No es hora de que tengas tus propios niños?"; "Serías una mamá increíble". Probablemente sería una buena mamá en algunos aspectos, pero al mismo tiempo no quise hacer los sacrificios que se requieren para ser una buena mamá. Hubiera tenido que cambiar de trabajo. Estaba a cargo de un programa para muchachos sin hogar y con frecuencia tenía que levantarme y salir en medio de la noche, trabajar hasta tarde y lidiar con comportamientos bastante complicados. Llegaba a casa rendida.

—ELIZA

Me gradué de bachiller en 1974, cuando ya había terminado la guerra de Vietnam. Pensaba mucho en la situación del mundo al cual traería a un bebé. Y toda la vida me han gustado mucho los animales. Siempre me ha parecido que hay cierta ironía en el hecho de que haya personas tan preocupadas con cosas como programas de cría de animales, que cuidan la raza, por ejemplo, pero que cualquiera pueda tener hijos sin preocupación.

—JUDITH

Las mujeres que saben desde un principio *por qué* no quisieron tener hijos suelen disfrutar las reuniones familiares, a pesar de no tener niños, o ver a sus amigos jugar con sus nietos.

NO LO PENSÉ CUANDO JOVEN, SINO QUE FUE ALGO QUE VINO CON LOS AÑOS

Muchas mujeres se muestran ambivalentes ante la maternidad. Esa ambivalencia puede llevar a que uno evite "pensar en el asunto", mientras se ocupa de otros más inmediatos como la educación superior y las primeras decisiones de la vida profesional. Esa misma ambivalencia puede llevar a posponer la idea de una unión conyugal hasta que la mujer ya ronda los treinta o treinta y tantos. Y si se casa, la pregunta "¿Y cuándo vas a tener un bebé?", puede empezar a resonar casi diariamente.

Por lo general, las mujeres que no se la pasan pensando en la maternidad tienen vidas cuyo foco primario no tiene nada que ver con niños. Pensar en tenerlos las obligaría, de hecho, a cambiar el rumbo de su vida.

> No me interesó mucho tener hijos hasta que tuve unos 35 años. Mi ginecólogo me apuró un poco. A los 35, el reloj biológico sigue avanzando, como dicen, y ya no queda tanto tiempo. Cuando niña, se ponía mucho énfasis en lograr una buena educación. Me decían: "No te cases antes de tener un título profesional. Termina tu educación de manera que puedas ganarte la vida de alguna manera".
>
> —SARA

> En mis veintidós años de vida profesional como abogada, me acostumbré a levantarme en la mañana, ponerme el traje y salir al trabajo. Ahora que tengo una hija, vuelvo a casa temprano los miércoles. Las seis horas que paso con mi niña son bastante difíciles. Hasta hace poco me di cuenta de que si venía el cartero, yo le decía algo como "en realidad soy abogada, estoy en casa nada más por…", y el hombre quedaba perfectamente desconcertado.
>
> —TAMARA

Entre los treinta y los cuarenta años, algunas de las mujeres que no han encontrado pareja empiezan a pensar en ser madres solteras, decisión que implica una ruptura inclusive mayor con el estilo de vida de sus madres.

*Mis padres no se tomaron muy bien mi decisión de
convertirme en madre soltera, más que todo, creo, porque soy
hija única. Personalmente, me preocupaba más bien por
cómo iba a mantener un hijo yo sola. No podía pensar en
una jubilación temprana o algo semejante. Y siempre me ha
gustado viajar, cosa que supuse iba a cambiar, como en efecto
sucedió.*

—SONIA

Toda decisión, bien sea sobre si aceptar o no un empleo, o salir a una cita con una determinada persona, o vivir en cierto lugar, crea una trayectoria propia. Sopesar las decisiones y sus consecuencias permite cambiar de dirección con mayor facilidad, ya que uno tiene en cuenta cada alternativa que se abre ante su camino.

SENTÍA AMBIVALENCIA HACIA LA MATERNIDAD, HASTA QUE INTENTAMOS TENER UN BEBÉ Y NO PUDIMOS

Para muchas mujeres, la infertilidad tiende a aumentar el deseo de tener hijos. Una mujer que descubre que es incapaz de concebir pierde esa ambivalencia y de repente tener un bebé se convierte en su objetivo central. Siente que ha perdido el control de su vida, que antes tenía. Siente que le han quitado esa única cosa que siempre pensó que tenía, la posibilidad de ser madre. Otras, al verse en la misma situación, llegan a darse cuenta de que la vida que llevan, sin hijos, está bien y que probablemente es así como siempre han querido vivir.

*A los 28 años se me desató alguna hormona extraña y me
dieron unas ganas locas de tener un hijo. A los dos años,
perdí un bebé. Un año después, otro. Luego de otro par de
años estuvimos haciendo todo el proceso de la temperatura y
la cuenta de los días y mi marido hasta se puso inyecciones
para aumentar la cantidad de espermatozoides, pero nada
funcionó. Todo eso nos estaba alterando bastante...*

Decidimos que era hora de buscar algo distinto que hacer con
nuestra vida. A los treinta y cinco, ese interruptor hormonal
se apagó de nuevo y el ansia de tener un bebé desapareció.

—BELINDA

Fue una época traumática. Al final tuve que darme por
vencida de tener un bebé. Todo lo demás que había ansiado
en la vida lo había podido conseguir a través de esfuerzo. No
podía creer que no pudiera ser mamá, que fuera algo que no
tenía que ver con cuánto me esforzara. Tuve que olvidarme
del asunto. No estaba lista para abordar el tema de la
adopción, pero mi esposo pensó que debía hacerlo.

—JACQUELINE

NUNCA QUISE TENER HIJOS HASTA QUE SENTÍ QUE QUERÍA TENER UN BEBÉ CON MI PAREJA

En últimas, el gran misterio de la vida es que nunca sabemos qué nos deparará el destino. Puede ser que hagamos planes. Y podemos tomar decisiones basadas en esos planes. Podemos seguir un rumbo. Pero de repente nos enamoramos y caemos en cuenta, por primera vez, de que para nosotras los hijos siempre han sido la expresión máxima de ese amor. O aceptamos el empleo que nos lleva alrededor del mundo y decidimos a conciencia que ésa no es una vida para tener hijos.

Muchas mujeres que estaban indecisas o se sentían indiferentes en relación con la maternidad durante casi toda su vida expresan sorpresa y maravilla ante el hecho de que una vez encontraron al amor de su vida, de repente quisieron tener un bebé. Tener un hijo puede llegar a ser la experiencia más profunda y emocionante para una pareja, un acontecimiento que estimula y le insufla vitalidad a ese amor que sienten mutuamente. Hay parejas que encuentran un sentimiento de pasión renovado, de deseo mutuo en la misma confirmación de que su amor va a dar origen a un ser humano nuevo y diferente, que lleva en sí algo de ambos y que los dos ven como una manifestación de su eterno amor.

Cuando niña, no me preocupaba el asunto de tener hijos,
pero cuando empecé a salir con mi marido y luego nos
casamos, comencé a pensar seriamente en el asunto. Y ahí fue
cuando se volvió real: quería tener un bebé con él.

—MARTHA

AVANZAR A PARTIR DEL PASADO

Nadie puede predecir con toda seguridad cómo será la experiencia de maternidad de una mujer, pero estas voces que comparten sus vivencias pueden ayudarle a ver la manera en que tener hijos, o no tenerlos, afectó a otras mujeres. Ya con algunas de las posibilidades en mente, usted podrá tomar una decisión más fundamentada y tomar el camino que le parezca mejor.

Por último, deje que ese diálogo interno que ha sostenido toda su vida salga a la superficie. Expréselo ante gente en la cual confía. Hable consigo misma en voz alta. Converse con otras mujeres que han titubeado y pregúnteles qué tal ha resultado su decisión definitiva. Sopese los pros y los contras y analice con mirada crítica sus motivaciones para tener hijos. Asegúrese de que esas motivaciones son suyas, de esa mujer en la cual se ha convertido, antes de tomar la decisión. Tenga en cuenta que puede cambiar de idea si las circunstancias dan un giro o a medida que pasan los años, pero no deje de considerar en detalle todos los aspectos de esta decisión fundamental que puede cambiarle la vida. Así, al final, es probable que quede satisfecha con la alternativa que escoja.

1

Nuestros instintos, metas y conflictos

¿Por qué queremos tener un hijo, o no queremos? Ambas alternativas pueden implicar muchas razones constructivas, o sea, razones que servirán de apoyo en tiempos difíciles y que serán fuente de satisfacción en la vejez. Pero también hay razones destructivas, que son las que pueden producir una vida entera de insatisfacción tanto para uno como para sus hijos, si es que decide tenerlos.

El impulso biológico, la vida familiar, la influencia cultural, las necesidades personales, el entorno religioso y el amor romántico son factores que determinan el deseo de una mujer de ser madre. Estas influencias pueden ser conscientes o inconscientes y la mayoría de ellas tienen un efecto profundo en nosotras, que se hace presente mucho antes de que pensemos deliberadamente en la alternativa de la maternidad.

Es biología elemental

A medida que alcanzamos la pubertad, empezamos a sentir un poderoso interés en explorar la sexualidad. Es un apetito puramente biológico que explica por qué los adolescentes empiezan a experimentar con el sexo, incluso en contra del más elemental sentido común, o del miedo a las enfermedades de transmisión sexual y a pesar de las advertencias de los padres o de las películas educativas que han visto en el colegio. Más aun, para la mayoría de nosotros el sexo es placentero, lo que ayuda a perpetuar la especie.

El embarazo también es placentero y emocionante para muchas mujeres. El cuerpo empieza a cambiar casi de inmediato. Muchas mujeres describen la experiencia de crear una vida y de tener a una persona que crece dentro de sí como el comienzo del milagro del cual siempre han oído hablar. Además, las mujeres embarazadas suelen convertirse en el centro de atención y cuidados de quienes las rodean. Se sienten especiales y muchas veces disfrutan de una sensación de expectativa agradable.

Tenía la sensación de que dentro de mí había algo a punto de explotar, pero como una explosión positiva, como si tuviera un pájaro enjaulado en mi interior que quisiera cantar.

—EMMA

La aprobación social que recibí fue algo que jamás había sentido. Me encantaba ser el centro de atención, me encantaba comprar toda esa ropa nueva. Tengo uno de los mejores guardarropas de maternidad para oficina. Me encantaba presentar mis casos en los tribunales embarazada. Me gustaba que hicieran esperar los ascensores para mí.

—LINDA

Quiero darle continuidad a mi familia

Nuestra familia de origen, así como el deseo de darle continuidad, juegan un papel preponderante en la decisión de muchas mujeres respecto a la maternidad.

Muchas de nosotras aún tenemos un claro sentido de la familia, a pesar de las distancias físicas entre los miembros de ésta y las tensiones inevitables entre las generaciones. La familia nos sirve de piedra angular ante el mundo exterior, es un lugar al que pertenecemos y al cual podemos escapar si llegara a ser necesario. La familia ocupa la mayor parte de nuestra historia personal durante los primeros veinte años de nuestra vida y los lazos familiares fuertes pueden ser una de las grandes motivaciones para todo lo que hagamos más adelante en la vida.

Somos todos muy cercanos. Creo que si me pasara cualquier cosa, podría llamar a una de mis primas sin importar la hora. Y tal vez no nos hablemos mucho, pero si necesito algo, sé que cuento con esa ayuda, ese apoyo que toda familia debe ofrecer.

—ROXANNA

Cuando tenía treinta y tantos, se me fue volviendo cada vez más difícil estar con mis primas en reuniones familiares, pues todas estaban casadas. Me dolía mucho. Mi hermana, que es menor que yo, tenía varios niños. Y yo no estaba ni cerca de alcanzarlas.

—TATIANA

Nuestra cultura, al igual que el apetito biológico, nos impulsa con fuerza a perpetuar los genes familiares. Los miembros de la familia y los amigos, enternecidos y fascinados con un bebé, se dedican a atribuirle sus rasgos a alguien de la generación anterior: Comentarios como "Tiene la nariz exacta a la tuya", "Tiene tus ojos", son halagos comunes. Los padres sonríen complacidos al saber que le han heredado parte de su ser a su bebé. También resulta fascinante ver la manera en que los genes propios y los de la pareja se encuentran y se mezclan en esta nueva persona que ambos han creado.

Los padres adoptivos, que a veces reciben el mismo tipo de comentarios de parte de adultos que no conocen su historia, se deleitan con la manera en que su hijo imita su forma de hablar o sus movimientos y gestos. En los primeros años, los genes no son los únicos factores que influyen sobre la apariencia de los niños, pues también imitan los gestos faciales y la postura corporal, de manera que en realidad sí pueden llegar a parecerse a sus padres adoptivos.

En ambos casos, los padres gozan de una sensación de inmortalidad, al saber que una vez que se hayan ido, una parte de ellos seguirá viviendo.

Tenemos unas tradiciones
tan bonitas

Las mujeres que tienen una fuerte influencia sobre su familia a menudo hablan del deseo de perpetuar las tradiciones familiares. Quieren vivir nuevamente las experiencias positivas de la infancia y recrear la maravillosa labor de crianza de sus padres. Muchas aspiran a hacerlo incluso mejor. O puede ser que tengan un negocio familiar, o una tierra en el campo, que sueñan con legar a la próxima generación, o sencillamente quieren continuar las tradiciones de los almuerzos de domingo, las fiestas de cumpleaños, las labores que unen a la familia.

El conocimiento de sus tradiciones proporciona un gran sentido de seguridad y plenitud a las mujeres con hijos. Se convierten en las expertas de la familia en cuanto a la manera de decorar el árbol de Navidad o de organizar una reunión familiar. Estas tradiciones y la experiencia de ponerlas en práctica proveen una red firme y fuerte de personas afectuosas que se convierten en apoyo para un niño. También proveen un sentimiento de eficiencia y dignidad para la mujer.

En mi familia, la cosecha de manzanas era lo mejor del año.
Nos reuníamos a recoger las frutas en el huerto de la casa de
mis abuelos, mientras los trabajadores cosechaban las de los
campos. Después escogíamos las más maduras para dárselas
a mi mamá y a mi tía, que preparaban compota y jalea. Y
las que aún estaban algo duras se las llevábamos a la
abuela, que horneaba el pastel que nos comeríamos de postre.
Recuerdo ver dos o tres pasteles enfriándose, ya listos, en la

*mesa de la cocina, mientras los niños juntábamos las
cáscaras de las manzanas para dárselas de comer a los
animales. Era un día mágico.*

—CELIA

Mi familia espera que tenga hijos

No es algo anormal que una madre, o familiares bien intencionados, le pregunten a una mujer de veintitantos años en una reunión cuándo va a "sentar cabeza y tener hijos". La mayoría de las mujeres logra librarse de la pregunta hasta que le presenta un pretendiente serio a la familia. Pero hay otras que la oyen cada vez con más frecuencia a medida que pasan los años. Muchas mujeres se enfrentan a una impaciencia creciente e incluso a una cierta osadía de sus parientes que anhelan niños.

> *Cuando le contamos a mi madre que habíamos decidido no hacer el proceso de fertilización in vitro, en parte por el costo, ella sacó su chequera y escribió un cheque por el triple de lo necesario, ¡para que así tuviéramos con qué hacer tres intentos!*
>
> —CAROLA

> *Yo tenía 30 años y aún no había tenido hijos… eso me hacía sentir una fracasada. Mi familia nos presionaba constantemente. Mi madre incluso empezó a decir que debíamos adoptar un niño. Decía abiertamente: "¡No entiendo por qué no adoptan un niño, y ya!"*
>
> —DORIS

Muchas mujeres crecen oyendo conversaciones como ésas en reuniones familiares, mucho antes de que ese tipo de preguntas o sugerencias se dirijan directamente a ellas. También crecen viendo a otras mujeres jóvenes de la familia que se casan y tienen hijos. Al igual que muchos otros aspectos de la decisión respecto a la maternidad, elegir una alternativa manteniendo cierta independencia de las presiones familiares permitirá que uno esté más seguro de su decisión a largo plazo.

Por ejemplo, si su familia es unida y tiene tradiciones sólidas y confiables, puede ser que encuentre la red que necesita para ayudarle a criar a sus hijos. Pero si se enfrenta a momentos difíciles con el bebé, y la familia no está ahí para apoyarla, puede mirar en retrospectiva su decisión y concluir que la tomó por su propia cuenta y no por influencia de otros y que de usted depende encontrar las soluciones que más le convengan.

Mi madre vivía fuera de la ciudad. Andaba muy ocupada con su propia vida. Yo llevaba a mi bebé donde la niñera todos los días. Mi esposo no hacía nada. Hice lo que tenía que hacer, todo el tiempo. Jamás pude tener un instante para mí misma, ni uno.

—KATY

Espero sanar las heridas que me dejó una infancia disfuncional

Hay un lado peligroso, y frecuente, de la manera en que las presiones familiares influyen sobre el deseo de tener hijos. Muchas mujeres crecieron en entornos familiares difíciles o disfuncionales y quieren tener la oportunidad de superar esas circunstancias y de sanar el dolor que sienten. Otras se inclinan en contra de la maternidad porque temen repetir los errores de sus padres y sienten que dejar atrás esas experiencias es la mejor manera de sanar sus heridas. Como adulta, usted tiene la oportunidad de observar a su familia, sus limitaciones y sus efectos perjudiciales, desde la perspectiva de una mujer adulta. Usted es dueña de su vida y de sus decisiones y puede tomarlas independientemente del dolor de su infancia.

Cuando las mujeres que han tenido infancias infelices deciden tener hijos porque quieren demostrarse a sí mismas que pueden ofrecerles a sus hijos algo mejor que lo que ellas recibieron, es posible que puedan curarse. Este proceso empieza cuando identifican una parte importante, aunque sea dolorosa, de sí mismas.

Esa decisión también puede ser peligrosa. Primero, los niños son personas con sus propias exigencias y necesidades. Puede ser que usted "haga todo bien" y a pesar de todo tenga problemas con un niño inquieto, independiente, difícil. Segundo, a menos que tenga un modelo positivo que no pertenezca a su familia cercana, probablemente sólo contará con el negativo que le dejó su madre. Infortunadamente, bajo circunstancias de presión todos nos replegamos a lo que nos resulta familiar, y así podemos terminar repitiendo lo que hicieron nuestros padres, incluso las cosas más censurables.

> *Yo quería tener una familia numerosa porque crecí en una así, pero disfuncional. Tenía intenciones de hacer todo bien. Pensaba que me casaría con un hombre que me iba a amar toda la vida y sería el sostén económico perfecto. Me casé a los diecisiete. Tuve un bebé a los diez meses y luego tuve más. Al final, resultó que no era capaz de cumplir con mi sueño. Nos separamos, y los niños se fueron a vivir con su papá.*
>
> —BRENDA

> *¡Me esforcé tanto por educar a mi hija de una manera diferente de como me educaron a mí, que a veces me duele ver tanto de mi madre en ella y tan poco de mí! Pero no veo cómo hacer algo para cambiarlo. Trato de encontrarle el lado positivo, y de alegrarme por ese parecido, pero me cuesta mucho trabajo.*
>
> —CRISTINA

Para quienes duden de su decisión a favor o en contra de tener hijos motivadas por una historia familiar difícil, hay ayuda disponible. Existen grupos de apoyo, consejería, libros sobre crianza y educación de los hijos y hasta clases sobre el tema que pueden ayudarla a identificar sus miedos y debilidades y a darle las herramientas para ser mejor madre o para entender con más claridad por qué no quiere tener hijos. Al hacer este tipo de trabajo psicológico en la edad adulta, será posible definir mejor quién y cómo es usted en este momento, en comparación con esa jovencita asustada o dependiente que fue en otra época.

Todo el mundo tiene hijos

Podemos sentir una presión fuerte, incluso en la edad adulta. De alguna manera, a medida que nuestras amigas empiezan a tener lluvias de regalos para sus futuros bebés y a cambiar de identidad, muchas de nosotras empezamos a sentir el impulso de ser como ellas. En el momento en que una mujer anuncia que está embarazada, la gente que la rodea empieza a felicitarla y luego a hacerle recomendaciones, desde cuál es la mejor dieta durante el embarazo hasta los beneficios de la lactancia.

Una vez que nace el bebé, los nuevos padres reciben la acogida de otros padres con los brazos abiertos, y éstos les ofrecen consejos y les cuentan historias sobre la manera en que sus bebés comen, duermen o no duermen, sobre cómo van cambiando. De repente, uno tiene acceso a esa comunidad de adultos que sabe lo que es pasar varios meses sin dormir una sola noche completa, que discute sobre cosas como popó y pipí en público y que intenta llegar a la mejor forma de mantener la disciplina.

> *Al tener amigos con hijos, entendemos parte de las dichas y*
> *las tristezas por las que pasan. Uno se siente más cerca de*
> *ellos porque entiende lo fácil que es verse manipulado o lo*
> *difícil que resulta decir no.*
>
> —CARLA

La comunidad de familias es tanto geográfica como sentimental. Muchos padres encuentran que su entorno familiar forma una red perfectamente adecuada para criar y educar a un niño, ya que resulta acogedora y amable para la vida familiar. A menudo las comunidades de las ciudades más grandes les ofrecen a los padres una amplia gama de opciones para atender y cuidar a sus hijos: desde guarderías para niños que aún no están en edad de ir al kínder, lectura de libros y cuentos en la biblioteca local y parques en el vecindario.

Así como la presión sutilmente acogedora por convertirse en madre puede expandir la red de conocidos de una mujer, no resulta muy beneficiosa para estimular o mantener las antiguas amistades, especialmente con quienes no tienen hijos. Mientras que las madres recientes logran acercarse con facilidad a otras madres y convertirse en sus amigas a partir de conversaciones sobre comida, sueño o ropa para sus hijos, las amigas y amigos de la etapa anterior al bebé pueden estar todavía inmersos en conversaciones sobre el trabajo, citas y salidas amorosas y actividades nocturnas fuera de casa. Este giro puede influir sobre el deseo de las amigas sin hijos de unirse al "club de las mamás" en ese momento o más tarde, o bien reforzar la ausencia del deseo de terminar hablando de pañales y caca. Al mismo tiempo, las madres primerizas pueden sentir añoranza por lo que han dejado atrás en su "antigua" vida. En cualquiera de los casos, el efecto sobre los hijos y los amigos puede ser profundo.

Cuando tuvimos hijos, nuestros amigos sin hijos se alejaron un poco y los que sí los tenían se acercaron a nosotros. ¡Y ahora que ésos que no tenían hijos los están teniendo, empiezan a acercarse otra vez!

—KATY

Asegúrate de que quieres tener un bebé por las razones adecuadas y no porque "todas mis amigas tienen bebé".

—MARÍA

Tengo la capacidad
de crear vida

Tener un hijo permite que una mujer experimente la dicha de crear. No sólo vive ese sentimiento inexpresable de tener un feto que crece dentro de sí y el nacimiento del bebé, sino también todo el proceso de enseñanza que realiza todo padre o madre desde los primeros días de la vida de su hijo. Muchos padres adoptivos también experimentan esta oleada de energía creativa. En ambos casos, los padres, y especialmente la madre, cambian de rol al pasar de ser seres humanos individuales y aislados, para convertirse en personas responsables por todo lo que el bebé va a enfrentar (para bien o para mal). Uno se convierte en intérprete, traductor y mediador entre el bebé y el mundo. De ahí en adelante deberá estimular, enseñar, educar y disciplinar al niño para que entienda y se adapte a los parámetros del mundo en el que ambos viven. Uno ayuda a moldear una nueva personalidad.

Desde la cuna hasta los cinco años, uno es todo para ese bebé.
¡Es increíble ver cómo aprenden tanto en tan poco tiempo!

—BÁRBARA

La etapa entre los cinco y los doce años fue hermosa. Los
niños son colaboradores y amorosos y creen que uno es capaz
hasta de caminar sobre el agua.

—KELLY

Son maravillosos. Me ayudan, me hacen reír, me mantienen
más ocupada que en cualquier otro momento de mi vida, ¡me

dan la disculpa perfecta para alquilar películas que siempre
había querido ver y para comprar libros y juguetes que a mí
también me gustan! Tenemos intereses comunes en nuestros
pasatiempos y hacemos un montón de cosas juntos.

—ROSA

Así como hay quienes consideran que crear una vida y ayudar a desarrollar la personalidad de un niño son el mayor triunfo y la mayor satisfacción, no hay que negar que son labores que requieren mucho tiempo. Las mujeres que deciden no tener hijos le pueden dedicar más tiempo y energía a otros intereses. Pueden escaparse al cine sin tener que buscar una niñera y, además, pagarle. Pueden viajar sin sentir remordimiento o sin pasar por las complicaciones de dejar a los hijos en casa o de cargar con ellos. Pueden explorar su talento artístico sin tener que preocuparse por las presiones económicas de mantener a un hijo. Pueden quedarse trabajando toda la noche, para desarrollar avances médicos que contribuirán a salvar vidas, sin tenerse que preocupar por llevar a los niños al colegio a las 8 a.m.

Puede ser que aprenda algo sobre mí misma

Criar y educar a un hijo casi siempre implica una lucha que obliga a hacer uso de reservas que muchas mujeres ni sabían que tenían. Los niños pueden plantear todo tipo de retos, desde el bebé que grita a un volumen ensordecedor en el momento menos adecuado hasta el adolescente que estrella el automóvil. Toda madre tendrá estas experiencias en el espectro entre esos extremos, y uno no siempre puede predecir si irá a tener la fortaleza para superarlas con sensatez y madurez. A pesar de todo, la mayoría de las mujeres pasan por esos momentos difíciles y se dan cuenta luego de que eran más fuertes, más pacientes y más flexibles de lo que habían pensado.

> *Había momentos en que mi hijo empezaba una de sus tragedias, y yo tenía que decir "No, espera, no voy a jugarte ese juego". Hay que probar una cosa y otra y otra. Es agotador, pero una vez que uno lo afronta, es maravilloso también. Voy a extrañarlo mucho cuando se vaya a vivir por su cuenta.*
>
> —PATTY

Pero también hay mujeres que se decepcionan de su capacidad para ser madres, o que pensaban que tenían la fuerza en sí, y no la hallaron. Estas mujeres tienden a ser muy críticas consigo mismas por el hecho de no haber realizado una labor mejor con sus hijos. Sin embargo, también se enriquecen con esta experiencia dolorosa y la dejan atrás.

Exigía tanta energía y yo no la tenía. Lo intenté, pero no logré aguantar. No sé cómo lo consiguen otras mamás. Pasará mucho tiempo antes de que mis hijos lo entiendan y no sé si lleguen a perdonarme, pero así lo espero.

—SANDRA

Las mujeres que deciden no ser madres también deben encontrar fortaleza en sí mismas. Tal como lo muestran muchos de los temas de este libro, hay una especie de marea de presión en nuestra sociedad para convencer a las mujeres de tener hijos, y muchas que deciden no tenerlos deben lidiar con la suposición elemental de que si uno no tiene hijos es porque no puede tenerlos. La mujer que puede afirmar sin titubeos que decidió no ser madre ha tenido que encontrar mucha fortaleza interior para enfrentarse a ese prejuicio.

Tengo tanto amor
para dar

En últimas, el mejor motivo para tener un hijo es sentir el deseo de amarlo. Para llegar a ser una madre plena, usted siempre debe estar dispuesta a dar (desde el punto de vista emocional y no necesariamente desde el material) en forma incondicional al niño, sin esperar nada a cambio. Si el niño es libre de convertirse en lo que quiera, a su manera y en su propio momento, contando con su apoyo y su afecto, ese hijo tendrá un enorme potencial de llegar a ser un adulto saludable.

Estaba emocionada de pensar en tener mi primer hijo, pero no me había preparado para el amor tan intenso que despertó en mí. Era diferente del amor por mi esposo o por mis padres, era un amor protector. Empecé a entender por qué las madres en el reino animal pueden convertirse en las criaturas más peligrosas del mundo si uno ataca a sus crías.

—JUANA

Uno tiene que ser capaz de construir un hogar, y tiene que sentir la seguridad de que puede darles algo a sus hijos. Tiene que poder sentarse con ellos, darles algo de tiempo. Hay que estar dispuesto a sacrificar parte del tiempo que uno dedicaría a sí mismo. Y hay que estar listo para dejar de lado sueños propios si uno quiere llegar a tener un hijo feliz, si uno quiere que el niño crezca seguro de sí mismo.

—VIRGINIA

Las mujeres que decidan no tener niños deben tener una sólida confianza en sí mismas y amor propio, para así saber que son personas valiosas y mujeres completas. Podrán optar por no tener contacto con niños, o encontrar otras maneras de quererlos, o ingeniarse formas de contribuir con la comunidad sin tener que atarse a un papel y a una responsabilidad para los cuales no se sienten dotadas.

> *Con frecuencia asisto a presentaciones de ballet y a ese tipo de espectáculos donde uno va con niños. Me reúno con mis sobrinos y hacemos algo que implique actividad física, como ir a conciertos de grupos juveniles o salir de día de campo, y a todos nos encanta. Vamos a nadar juntos en verano y a patinar en el hielo en invierno. Los padres siempre quedan agradecidos por ese poco de ayuda y, si uno no va a tener hijos, debe ofrecerle a la sociedad algo de ayuda. Nos guste o no, esos niños son nuestro futuro también.*
>
> —JANET

¡Los niños son tan divertidos!

Los niños le traen alegría a la vida. Cuando están empezando a hablar, llegan a decir las cosas más divertidas del mundo mientras aprenden a hilar ideas, y puede ser increíble observar el mundo a través de los ojos de un niño. Todo parece nuevo y maravilloso. Un bebé jamás se cansa de un juego y un niño de cuatro años que se divirtió con el truco que uno hizo, pedirá una y otra vez que lo repita. Los niños más grandes van a querer jugar fútbol o ir al cine con usted, e incluso los adolescentes, a pesar de todos los conflictos de esa etapa, pueden arreglarle el día con un regalito inesperado o un comentario amable.

Los bebés son increíblemente sociables y encantadores. A través de mi bebé he conocido a mucha gente.

—SARA

Me encantaba hacerme cargo de llevar y traer del colegio a un grupo de niños y ayudarles a los maestros. Preparaba galletas para los compañeros de mis hijos. Las fiestas de cumpleaños me parecían divertidísimas, lo mismo que repartirnos los días de cuidar niños con las vecinas, para así poder salir de compras.

—RITA

Mi hija de doce años es alegre y algo temperamental; es una compañera entretenida, ¡por lo general!

—ANDREA

Quiero sentir que alguien me ama

Tener hijos para satisfacer la necesidad de sentirse amado puede ser una motivación poco aconsejable. Este riesgo es común entre madres adolescentes intencionales, que ven en su bebé la única persona que no las puede abandonar y siempre las va a aceptar.

> *A los catorce o quince años sabía que si tenía hijos, todo iba a estar bien. Que así podría librarme de todo lo malo. Era un escape. Ahora me doy cuenta de que si no hubiera seguido esa idea, podría haber ido a la universidad y convertirme en profesional.*
>
> —VIRGINIA

Una vez que uno llega a los veinte o treinta años, las motivaciones van madurando, pero en el fondo siguen siendo esencialmente las mismas. Algunas mujeres no han encontrado una relación adulta, o no la buscan, y sólo sueñan con el amor de un niño. Algunas mujeres se embarcan en un mal matrimonio y tienen la esperanza de que un hijo les dé el amor que les hace falta. Y, aunque es cierto que los hijos lo aman a uno, la niñez está diseñada sobre la base de que son los adultos quienes deben darles a los niños y no lo contrario.

> *Tienes que ser franca contigo misma. Tienes que reconsiderar los propósitos, las razones. ¿Quiero el bebé para mí? ¿Para qué quiero un hijo? ¿Para quién será? Lo peor que le puedes hacer a un niño es tenerlo para satisfacer tus necesidades en lugar de ser tú la que satisfaga las suyas.*
>
> —GLORIA

Francamente creo que mi madre tiene algún desorden narcisista: todo debe girar alrededor suyo. Me sorprende que yo haya llegado a ser una buena mamá. Me di cuenta de que instintivamente soy capaz de poner a mi hija por encima de todo lo demás.

—PATRICIA

Si uno piensa tener un hijo para así tener a alguien que lo quiera, hay que pensarlo dos veces. Los niños pequeños son egocéntricos por naturaleza y el mundo debe girar alrededor de ellos.

—FRANCESCA

Puedo crear un ser a mi imagen y semejanza... o tal vez no

Otra motivación común para tener hijos es la idea de que uno puede criar y educar a un hijo a su imagen, con sus propios valores. Es cierto, buena parte de las veces los niños crecen dentro de la escala de valores de la religión de sus padres, con las mismas tradiciones y los mismos principios fundamentales para enfrentar los retos de la vida. Pero los futuros padres deben tener en cuenta que un hijo a menudo se rebela contra sus padres, y no sólo en la adolescencia sino también en la edad adulta. Una pareja de padres liberales puede encontrar que ha criado a un hijo conservador o a un fundamentalista religioso. O unos padres de clase trabajadora, que lucharon por enviar a su hijo a la universidad, pueden descubrir que éste desarrolla unos valores completamente diferentes. O bien, padres con dinero, conservadores, acaban teniendo un hijo que resulta ser un rebelde político que va a dar a la cárcel por participar en manifestaciones y boicots.

En mi familia había mucha presión para que los hijos fuéramos normales: yo debía ser como las demás, sentarme como una niña, vestirme como toda una niña, jugar como niña. Con frecuencia me metía en líos por ser agresiva, o por hacer demasiado alboroto, o por no sentarme bien ni caminar derecha, especialmente en la iglesia. Pertenecíamos a una iglesia muy conservadora. Hoy en día tengo una relación poliamorosa. Llevo once años casada, y tengo un amante desde hace cinco años, que vive con nosotros. Decidimos no tener hijos.
—LAURA

Provengo de una familia muy tradicional. Mis padres son judíos conservadores, sobrevivientes del Holocausto. Tienen una idea algo pasada de moda de lo que debe ser una familia. El hecho de ser judía fue muy importante en mi infancia y adolescencia, y parte de eso es tener hijos y casarse. Eso es lo que se espera de los jóvenes. Así que tuvieron que hacerse a la idea de mi decisión de buscar un donante de semen para convertirme en madre soltera por elección propia.

—REBECCA

¿Qué pasa si hago todo lo que esté en mis manos, lo mejor que pueda, y a pesar de todo el niño resulta ser una mala persona?

—VICTORIA

También hay personas que opinan que si a ellos los hubieran criado en el ambiente adecuado, serían mejores y se sienten motivados a tener hijos para resarcir las fallas que cometieron sus padres con ellos. No importa lo que hagamos, nuestros hijos van a compartir algunos de nuestros defectos y tendrán otros propios. Una sana resignación le permitirá tomar con calma esos momentos en los que ve claramente que sus hijos se convierten en lo que estaban destinados a ser, le guste o no.

Mi hijo menor acaba de cumplir dieciocho años. Ése es el momento en que uno quisiera que construyeran sus opiniones y valores y que, ojalá, se convirtieran en adultos considerados y solidarios. Que los hombres respeten a las mujeres y que ellas se tengan respeto a sí mismas. Y que estudien, por Dios, que hagan algo de dinero y cuiden de su madre.

—PATTY

Criar a nuestros hijos nos lleva a encontrar reservas de fuerza, imaginación, paciencia y felicidad, pero también sirve para poner en evidencia y ahondar hasta la más mínima debilidad que tengamos. Si alguna vez se ha sentido inútil por no poder arreglar algo en la casa, digamos poner un clavo, puede estar segura de que su hijo, en algún momento de la vida, la hará sentir mil veces más inútil. Si alguna vez se sintió demasiado gorda o demasiado flaca, demasiado bonita o demasiado sosa, con toda seguridad un hijo le dirá exactamente lo que piensa. En momentos como ésos, el sentido del humor puede ayudar mucho.

> *Cuando mi hija tenía cinco años, le pregunté que qué era la cosa más fea que se había metido a la boca. Me contestó que lo que yo cocinaba. Esas cosas no tienen igual.*
>
> —ÁNGELA

El sentido del humor también puede ayudar cuando uno le comunica a sus padres que no tiene intenciones de perpetuar los genes familiares.

> *Creo que en algún momento le dije a mi mamá: "Olvídate de tener nietos. Te vas a tener que consolar con mis perros". Y ella contestó: "¿O sea que tendré que aprender a ladrar?"*
>
> —LILY

Es parte de mis creencias y mi fe

Para algunas mujeres, las motivaciones más fuertes que las llevan a tener un hijo están en el terreno de la religión, y una comunidad religiosa es una de las redes de apoyo más gratificantes cuando de tener hijos se trata. Para muchos, la religión es la primera comunidad que conocemos más allá de la familia. Las rutinas de infancia a menudo giran alrededor de la visita semanal al templo, sea cual sea la religión, o de rituales domésticos. De manera que desde antes de poder hablar, ya hemos tenido contacto con las velas encendidas, los cánticos, la postura de rodillas y las manos juntas para orar que son comunes en la tradición judeocristiana y también en la musulmana.

Los miembros de su comunidad religiosa pueden sentirse en pleno derecho, e incluso obligados, a preguntarle sobre su decisión con respecto a la maternidad. Y si decide no tener hijos, esas preguntas pueden resultar bien una fuente de apoyo y amistad, o de traición y aislamiento. Al igual que dentro de la dinámica familiar, usted habrá oído esas preguntas y también las respuestas adecuadas, desde mucho antes de que tenga que contestarlas.

Para las que están indecisas con respecto a su deseo de tener hijos, la religión también ofrece la fe en que la voluntad de Dios será lo correcto y que una fuerza omnisapiente le dará a uno la fortaleza. Una fuerte tradición religiosa y una red de apoyo activa en el momento en que llegue el bebé pueden marcar una enorme diferencia para una madre que acaba de tener un hijo.

Vivimos siempre en la misma casa, en la misma ciudad, así
que nuestro círculo de amigos fue siempre el mismo, y la
comunidad también. Era un grupo muy dispuesto a ayudar,
en una parroquia profundamente católica.

—ÁNGELA

En momentos difíciles, muchas madres han orado para encontrar fortaleza, y eso les ha impedido hacerles daño a sus hijos o abandonarlos.

Ahora me da risa decirlo, pero mucho me temo que es
verdad. ¡Los hijos son la manera que Dios tiene para
asegurarse de que recemos toda la vida!

—CINDY

Una vida arraigada en la religión también proporciona el carácter predecible y la comodidad de la tradición. La Navidad es algo que sucede todos los años, en la misma época, por ejemplo. Las misas, servicios religiosos y reuniones siguen un orden que se repite, con procedimientos y cánticos que se vuelven comunes. Las generaciones anteriores pasaron por los mismos ritos de iniciación. Este tipo de cultura religiosa sólida puede ser algo determinante y consolador para una mujer que decida ser madre, aunque también puede resultar descorazonador para quienes hubieran querido tener hijos y no lo lograron.

Dicen que cada matrimonio judío equivale a bailar sobre la
tumba de Hitler, pues se asume que uno va a tener hijos y
continuar con las tradiciones. Así que en cierta forma siento
que defraudé a mi cultura al no tener un bebé. Hay muchos
judíos que se casan con judías pero que no educan a sus hijos
dentro de la cultura de sus ancestros. Yo sí lo hubiera hecho.
Lo mejor que puedo hacer, entonces, es tratar de influir sobre
los hijos ajenos.

—NORA

Si su comunidad religiosa no la apoya, su recurso es buscar en su interior para encontrar apoyo si es que está actuando en contra de las enseñanzas oficiales de su fe.

*Tengo una amiga muy querida que tuvo cinco hijos y tres de
ellos sufrieron de distrofia muscular. Fue a donde el sacerdote
y le dijo: "Por favor, ¿puedo empezar a tomar
anticonceptivos?" Él le respondió: "No, porque ésa es la
voluntad de Dios". Una de las mujeres de la parroquia
organizó una misa para pedir por ella, y mi amiga exclamó:
"¿Qué diablos les pasa? Mis hijos se me mueren, ¿y ustedes
quieren que vaya a la iglesia a rezar?"*

—GINA

Lo haría por amor

Casi siempre un hijo es la culminación de la expresión del amor entre dos personas. Para algunas parejas es un asunto casi automático, que no hay ni que pensar. Ambos quieren tener hijos, y los tienen. Pero para las mujeres que tienen conflictos con respecto a la maternidad, decidirse a experimentar las consecuencias de esa expresión en particular es mucho más complicado.

Tener un hijo le ofrece a la pareja una nueva experiencia para vivir en compañía. A veces parece el paso más obvio luego del matrimonio. A veces, después de que ya conocen la rutina de casados, buscan nuevos retos. Y a veces deciden que un hijo es una manera de garantizar que tendrán algo sorprendente, creativo, fascinante y emocionante para hacer juntos por el resto de su vida.

> *Es algo que planeamos desde siempre. Lo que hará es fortalecer nuestro matrimonio. Lo deseamos para ampliar y profundizar la relación y así encontrar una nueva manera de pasar tiempo juntos.*
>
> —KRISTY

Pero puede haber inconvenientes cuando, a pesar del amor, sólo un miembro de la pareja desea tener hijos. A veces ese choque se presenta y la mujer concluye: "Si lo amo de verdad, le daré un hijo, porque lo quiero", cuando ella también podría preguntarse: "Si de verdad me ama, ¿por qué quiere obligarme a tener un hijo que no deseo?"

Si decide tener un hijo en contra de sus deseos, o en medio de una indecisión que la confunde, puede ser que se esté aprestando para una etapa muy difícil. A pesar de que algunas mujeres indecisas llegan a ser madres maravillosas y muy bien adaptadas a su rol, otras se vuelven infelices y se arriesgan a producirle confusión e infelicidad a su hijo. Y si lo está haciendo por satisfacer a su pareja, es un doble golpe, porque bien podría estar poniendo en la cuerda floja la relación misma.

Pero, ¿acaso el amor no es eso? ¿Dar en forma incondicional? Sí... y no. Dicen que "un bebé es un regalo al que hay que regalarle todo". La cosa no es tan simple; no puede pensar que su pareja se va a hacer cargo de todo lo relacionado con ese hijo, que usted no sentirá ningún vínculo con él. Siempre será la mamá. Pero si decide que quiere un bebé, por sus propias razones, su niño crecerá en una familia mucho más estable y saludable.

¿De qué sirve "hacerlo por él"? Seamos francas: lo saca a uno del atolladero. Pero después, cuando el niño es demasiada responsabilidad, lo primero que se le vendrá a uno a la cabeza es: "Tú quisiste tener este hijo". Y ningún niño debe oír algo así, y ninguna madre debe pensarlo nunca.

—KAREN

Siempre renunciamos a cosas por los demás. Pero si tener un hijo es la necesidad más apremiante, el deseo más profundo, ¿se va uno a sentir feliz si no lo tiene? ¿Va uno a poder mirar en retrospectiva a la época de crianza de sus hijos y decir, a pesar de todo, "fui feliz"?

—MELODY

No soy el tipo de mujer a la que logran convencer con discursos, pero ahí estaba yo, embarazada, deseando al bebé, pero no tan segura de querer ser mamá. Mi esposo me había dicho que algún día yo querría tener un bebé. Me convencí del asunto. Pero al final, tuve que enfrentar la verdad: lo hice por él y por nuestro matrimonio, y supe que eran pésimas razones.

—DANIELA

Quiero hacer de éste
un mundo mejor

A medida que los niños van creciendo, hacen preguntas increíbles como: "¿De dónde vienen las personas?" y "¿Qué es la guerra?" Estas preguntas casi siempre exigen que los padres simplifiquen al máximo asuntos que son muy complejos, y eso nos obliga a mirar nuestras perspectivas con ojo crítico. Los hijos pueden hacer que uno participe en la comunidad de una manera en que no lo había hecho antes y que probablemente jamás lo habría hecho, de no ser en respuesta a sus hijos.

¿Le gustaría pasarse los días enseñándoles a los niños cómo funciona el mundo? ¿Le entusiasma la idea de pasarse un día festivo en un comedor de beneficencia o en una venta de garaje destinada a recaudar fondos para un centro de salud? ¿Le atrae eso de llevar a sus hijos a museos de arte o de historia natural para abrirles la mente a ideas creativas o a un panorama histórico?

> *Lo que yo quería era nada más que llegaran a ser personas conscientes de los demás, que pudieran ganarse lo suficiente para vivir y que supieran encontrar alegría en la vida. Tenía la esperanza de que niños así llegaran a ser ciudadanos del mundo, gente consciente, consciente de la raza, del dinero, del hecho de que lo material no cuenta sino más bien lo que uno lleva en el corazón.*

> —JACQUELINE

Hicimos un parque y construimos un granero durante una
semana completa de trabajo. A pesar de que mi marido es
mucho mayor que yo, les enseñó a navegar. Eran bebés
acuáticos.

—KATERINA

Nos acabábamos de mudar a un apartamento que quedaba
cerca de un puente de ferrocarril y de la carrilera. Mi hija
salió a explorar y volvió a contarme que había gente que
vivía bajo el puente. Había visto que dormían en cajas de
cartón y allí tenían su ropa. Me dijo: "Llevémosles
emparedados". Me sentí tan orgullosa. Seguro se acordaba de
algo que había pasado el año anterior, cuando le dimos unos
emparedados a un indigente que nos ayudó a bajar la
cometa que se nos había enredado en un árbol.

—LISA

Hay maneras de tener efectos similares en los niños sin que tengan
que ser sus propios hijos. Muchas parejas sin hijos se llevan a los de sus
amigos de excursión un sábado, para darles un respiro a los padres. Las
mujeres sin hijos pueden presentarse como voluntarias en algún centro
comunitario o guardería y así exponerles a los niños ideas nuevas, responder a sus preguntas y disfrutar de su compañía sin tener que llevár-
selos a casa todas las noches. Hay más de una manera de hacer de éste
un mundo mejor.

He sido tutora en un hogar para jovencitas y maestra de
adolescentes en una escuela dominical, junto con mi esposo.
Los muchachos nos adoraban y les decían a sus familias que
lo que les enseñábamos y hablábamos con ellos les servía
mucho.

—JOSEFINA

2

La edad y sus consecuencias

El momento específico de la vida en el que decida tener hijos o que concluya que no los va a tener afecta la manera en que percibirá su vida mucho después de haber tomado la decisión. Elegir el momento adecuado para ser madre puede hacer que uno disfrute más la maternidad y la vida, de modos que uno no hubiera podido predecir mientras se deslizaba hacia un nuevo estilo de vida relativamente descomplicado, pero desafiante. Por el contrario, la maternidad en un mal momento puede hacerla perder el equilibrio, bien sea porque el embarazo mismo resulte más complicado o porque llegue más tarde de lo que usted pensó que pudiera. Tener en cuenta este aspecto ayuda a que uno sopese los matices sociales, económicos y emocionales de cada etapa de la vida, lo que la llevarán a cambiar de idea, a confirmar o repensar su decisión.

¿Habrá otras mamás
de mi edad?

Si tiene hijos al final de la adolescencia o poco después de los veinte años, la mayoría de sus compañeros de generación seguirán solteros y estarán dedicados a estudiar, salir de noche, o a establecerse en sus primeros empleos. A pesar de que la comunidad de madres de esa edad no es numerosa, sí existe. Son mujeres que pueden estar disfrutando de los primeros años de un matrimonio joven, o tratando de salir adelante como madres solteras. En cualquiera de los dos casos, es probable que estén ansiosas por encontrar a alguien más en el mismo trance.

> *Ninguno de mis amigos quería oír una palabra de mis malestares por el embarazo. Preferían hablar de quién iba a llevar a quién a la fiesta de fin de año. Pero en la escuela había un grupo de madres adolescentes; allí encontré mucho apoyo.*
>
> —JAZMÍN

Entre los veinticinco y los treinta y cinco años es cuando la mayoría de las mujeres tienen hijos, o deciden no tenerlos. Como madre, usted pasará a formar parte de un grupo multitudinario, lo cual le permitirá encontrar una amplia gama de mujeres con quienes hablar y compartir experiencias.

Sin embargo, enfrenta una variada y compleja red de retos. Tener un hijo puede parecer apenas una pieza más del rompecabezas de la vida u otro aspecto de la vida que toca mantener en equilibrio con los demás, a través de malabares extenuantes. Pero incluso un embarazo no planeado o inesperado puede ser menos problemático para usted y su pareja en este momento de la vida de lo que puede resultar para una mujer mucho menor o mucho mayor.

> *Me doy cuenta de que la mayoría de las amigas que veo con regularidad son las que hice luego de tener hijos. Son otras mujeres con niños, tanto vecinas como madres de otros niños del equipo, compañeros de clase y padres. Ésa es la gente que veo ahora, pues tenemos muchísimo en común.*
>
> —SONIA

Si decide tener un niño, o adoptarlo, después de los cuarenta, o de los cincuenta, tiene que estar preparada para ser una anomalía entre sus amigos, pues los hijos de éstos ya estarán grandes. Se sentirán a gusto de haber dejado atrás la etapa de la crianza y no estarán muy dispuestos a jugar o entretener a niños pequeños. Por otro lado, sus amigos pueden convertirse en una fuente de información valiosa para usted en cuanto a crianza y experiencias de maternidad se refiere. Probablemente encontrará nuevos amigos de todas las edades entre los padres de otros niños y tendrá mucho en común con ellos, cuando el tema sean los niños. Pero es inevitable que alguien le haga la pregunta: "¿Es su nieto?" Si está satisfecha con su decisión y se siente bien consigo misma, podrá pasar por alto esas metidas de pata con una sonrisa.

> *Me sentía completamente fuera de lugar con la otra generación, los padres de los amigos de mi hija. Al principio, en las clases de gimnasia para bebés, por ejemplo, la edad promedio era de dieciocho o veinte. Yo me sentía un fiasco, tratando de ser mamá cuando tenía edad para ser la abuela de mi bebita. No tenía nada de qué hablar con los demás. Me sentía el centro de todas las miradas. Ahora no es problema, pero al principio sí lo fue.*
>
> —ELENA

Me decepcionó la reacción de algunos de mis amigos de mi misma edad, que ya tenían hijos grandes y se habían olvidado de lo que era andar con un niño pequeño. Nos trataban a ambos con impaciencia ¡y me hacían sentir la madre más incompetente e inadecuada del mundo!

—VICTORIA

¿En qué punto de mi carrera profesional voy a estar?

Entre los veinte y los treinta y tantos, usted estará despegando en su carrera profesional. Habrá invertido tiempo, esfuerzo y recursos, bien sea en una empresa o negocio o en educación superior. A lo mejor estará adaptándose a uno de sus primeros trabajos "de verdad" y tendrá la esperanza de ser ascendida varias veces en ese camino.

Ese momento de la vida puede estar muy centrado en la carrera y en lo que ésta puede ofrecer, lo que deja poco tiempo para otros asuntos, como los hijos. Por otro lado, si ha trabajado hasta los treinta y tantos para desarrollar sus destrezas y sus contactos, puede tener el beneficio adicional de una gama más amplia de opciones para escoger. Un número cada vez mayor de mujeres está descubriendo que la posibilidad de ser una madre de tiempo completo o trabajar desde la casa no sólo son factibles sino que además resultan alternativas atractivas en el mundo laboral.

En realidad no me atrae tanto la idea de ser profesora universitaria. La mayoría de la gente de mi edad está aún estudiando un postgrado, así que no habría problema si me tomo un tiempo fuera de la academia y vuelvo después.

—SILVIA

He ido de un trabajo a otro, tratando de ser mamá de tiempo completo en los interludios. Creo que una vez que mis hijos entren todos a la escuela, yo volveré a la universidad para así

poder conseguir un trabajo de verdad. Mejor dicho, ¡uno que
me permita pagar una niñera!

—SUSY

Para cuando cumpla los cuarenta, ya tendrá una trayectoria profesional sólida y estará cómoda con ella. Tendrá el camino ante sí más o menos claro y se habrá dado el tiempo para sopesar qué tanto afectará ese camino el tener un bebé. En comparación con una mujer más joven, sabe bien qué es lo que espera de un empleador, porque ya conoce sus habilidades y tiene seguridad en sí misma. Por esa misma razón está en mejor posición para negociar y querrá aprovechar sus puntos fuertes.

Llevo varios años en la compañía y les he mostrado de lo que
soy capaz. Me gané mi puesto con esfuerzo. Me dan esta
flexibilidad porque mi trabajo es bueno y ellos lo valoran. Se
dan cuenta de que si no fuera por esa flexibilidad, no
seguiría con ellos.

—MAGDA

Hice los arreglos necesarios para poder trabajar desde mi
casa, en la computadora, y para restringir mis tareas durante
los primeros seis meses del bebé.

—KATERINA

¿Qué tan bien
me conoceré?

A medida que sale de los veintitantos para entrar en los treintaitantos, su desarrollo personal está todavía en proceso. Muchas mujeres están apenas acomodándose a sí mismas a estas alturas de la vida, aprendiendo cómo autodefinirse mientras entran en una relación amorosa a largo plazo. Si todavía está en las primeras etapas en cuanto a desarrollar un sentido de sí misma, tener un bebé en ese momento puede interrumpir el proceso. La abundancia de *talk-shows* de televisión que giran alrededor de mujeres que dicen haber "perdido su espíritu" es un indicador de este fenómeno relativamente común.

> *Cuando mis hijos estaban muy pequeños y me necesitaban*
> *para todo, decidí adoptar una postura pasiva ante buena*
> *parte de las decisiones de nuestro matrimonio. Mis energías*
> *se consumían en lograr el bien común. Pero ahora estoy*
> *encontrando nuevamente mi voz y puedo compartir mis*
> *vivencias. A veces resulta difícil para mi marido negociar con*
> *esa nueva yo. Pero así son las cosas, no puedo hacer*
> *retroceder el tiempo.*
>
> —ADRIANA

Las mujeres entrevistadas subrayaron el hecho de que aquéllas que estén en proceso de averiguar quiénes son y de qué son capaces, deberían esperar un poco antes de tener hijos. Es complicado encontrar el equilibrio entre esperar y esperar demasiado, pero el esfuerzo puede producir una compensación maravillosa, a través de una relación estable y duradera y una vida más feliz. Claro está que, como nunca dejamos de crecer y desarrollarnos, hay cosas que uno no aprende sino hasta que se las encuentra frente a frente.

Tengo una idea más clara de cuáles son mis límites. Jamás los había visto de una manera tan clara. No creo que uno llegue a conocerse bien hasta el momento en que alguien altera su horario de sueño, lleva a extremos su estado de ánimo y despierta su ternura de la manera que lo hace un bebé.

—MARÍA

Una de las buenas cosas de las mujeres que ya han llegado a los cuarenta o a los cincuenta es que por lo general saben lo que quieren. Han explorado muchos de los intereses que han tenido en la vida y han experimentado las ventajas y desventajas de cada uno de ellos. Una mujer que desea tener un hijo a esa edad está decidida a ser madre y casi siempre cree que sabe en qué se está metiendo.

A esas alturas de la vida, usted habrá tenido por lo menos una relación de pareja seria. Habrá aprendido muchas cosas de usted misma y de la gente que ama. Sabrá quién es y estará en capacidad de hacer caso omiso de las críticas y los juicios que antes se tomaba tan a pecho.

Tuve mi bebé a los cuarenta. No hubo muchas sorpresas en los primeros años. Fue como ir envejeciendo. Uno no pasa de ser una belleza a un manojo de arrugas y canas de setenta y cinco de un día para otro o de un año para otro. Es un proceso gradual y los cambios del día a día, de semana a semana, de mes a mes y de un año a otro de un niño no son tan evidentes. Simplemente es la transición natural de una etapa a otra.

—LETICIA

¿Mis padres estarán en capacidad de ayudar?

Los padres de las mujeres que deciden ser madres a los veintitantos o treintaitantos por lo general gozan todavía de buena salud y están dispuestos a brindarles apoyo a los nuevos padres, especialmente si estos futuros abuelos están cerca de retirarse o viven en las cercanías o pueden viajar hasta donde viven sus hijos y nietos. Como las mujeres en esos años están trabajando, casi siempre, podrán acudir a sus padres para que se hagan cargo de cuidar a los niños, o en busca de consejos y apoyo moral. Ésa puede ser una época emocionante para los abuelos que quieren exhibir a sus nietos y la nueva etapa de su familia y su participación les garantiza a los padres bienvenidos respiros.

Podríamos quedarnos aquí otros cinco o diez años. Mis padres viven cerca y mi mamá ya nos hizo saber que no le molesta para nada venir y hacerse cargo de los niños.

—LEONORA

Dejé mi trabajo en Nueva York, donde llevaba varios años. Venirnos aquí fue difícil, pero lo hice para estar más cerca del resto de mi familia. Mis padres han sido un gran apoyo.

—SARA

Mi hijita sufrió de cólicos durante cinco meses. Me acuerdo de despertarme y pensar "no puedo seguir con esto". Nuestros padres no vivían en la ciudad y no podíamos darnos el lujo

de llevarle la bebé a cualquiera y decirle: "Tómenla, se la
dejamos" y saber que la tratarían bien.

—DIANA

Las mujeres más mayores, al tener hijos, se podrán enfrentar a una situación complicada, pues deben ocuparse no sólo de sus hijos sino también de sus padres ya ancianos. Así que al mismo tiempo en que se acostumbran a la rutina de biberones y pañales, tendrán que tomar decisiones cruciales con respecto a la salud y el bienestar de sus padres que, como ya tienen una edad avanzada, probablemente no serán de mucha ayuda para cuidar a los niños.

Poco después de que nació mi hijo, la salud de mi suegra
decayó. Ya no podía vivir sola. Mi madre, una mujer
sorprendente, es enfermera y trabaja en un hogar de
ancianos. Sugirió que lleváramos a mi suegra a ese hogar, y
resultó. Pero todo esto sucedió en la misma semana en que
nos mudamos a la nueva casa con el bebé.

—MARGARITA

He pasado por años de mucho ajetreo cuidando a mis padres.
Y ellos siempre estaban primero, por encima de mis propias
necesidades e incluso de mi relación de pareja. Ahora que
tengo una hija, es el turno de ella. No lo puedo hacer todo.

—JENNY

¿Cómo marcharán las cosas con mi madre?

Si el paso hacia la maternidad se da entre los veinte y los treinta, o un poco más allá, puede implicar retos para la relación con su madre. De manera casi inevitable empezarán a surgir las tensiones sin resolver que hay entre las dos. Por eso mismo, ésta puede ser una oportunidad para mejorar y hacer más profunda esa relación, o puede ser una irritación crónica, causa de peleas frecuentes. Todo depende de la manera en que ambas decidan enfrentar la situación.

> *Si logro ser una buena mamá, no me sentiré una fracasada total. Como hija, creo que me sentí completamente fracasada... hasta el fondo... olía mal, era fea, gorda, no tenía amigos, nadie me veía agraciada, siempre hacía todo mal.*
>
> —LINDA

> *El hecho de que yo no hubiera crecido en la familia perfecta no quería decir que no pudiera tener hijos y ser feliz y llegar a ser una buena persona. Ahora mi mamá es mi mejor amiga.*
>
> —VALERIA

Un sentido bien desarrollado de sí misma y el compromiso para resolver los conflictos con su madre puede hacer que la relación sea mucho más agradable y amable durante esa época de tensión.

Mis dos mamás siempre han estado a mi lado en los
momentos difíciles por las enfermedades de mi hija. Mi
madrastra me crio desde los tres años. Mi mamá nos había
dejado porque quería más fiestas y no estaba lista para
cuidar a una familia. Más adelante volvió a ponerse en
contacto conmigo. Su novio y ella solían consumir drogas
todo el tiempo, pero luego ella se unió a un grupo religioso.
El otro día la llamé y le dije que una oración no nos vendría
mal.

—CLAUDIA

A medida que pasan los años, uno encuentra más oportunidades para resolver los problemas con su madre, incluso si no ha tenido hijos. Muchas mujeres aprovechan esas oportunidades cuando se les presentan y así van dejando atrás los resentimientos de años, que se han incubado y han producido distanciamiento y dolor. A veces, la inevitable muerte de uno de los padres puede hacer que una mujer quiera tener hijos, cuando antes no parecía muy decidida.

A mi padre le encontraron un cáncer. Mi hermana había
adoptado un bebé porque no podía tener hijos y mi hermano
es homosexual. Yo acaba de quedarme sin trabajo y andaba
buscando otro, mi marido era un buen hombre, así que
decidí tener un bebé. Si miro en retrospectiva, sé que el hecho
de que mi papá se enfermara tuvo que ver con el momento en
que tuve a mi bebé. Quería que él supiera que la línea
familiar se prolongaría.

—CLARA

¿Encontraré a la pareja adecuada?

Entre los veinte y los treintaitantos, las mujeres casi siempre buscan una pareja que llene sus expectativas de vida. Actualmente, dejan pasar más y más tiempo antes de hacer compromisos de por vida. A medida que esperan hasta encontrar a su pareja, obviamente limitan el período en el cual tendrán que tomar la decisión de ser madre o no, a menos que estén pensando en ser madres solteras por inseminación artificial o por algún otro medio. Y sí, la fertilidad de la mujer empieza a declinar a los veintisiete y luego disminuye en forma exponencial después de los treinta y cinco. Ése es un factor que vale la pena tener en cuenta cuando se sopesan aspectos referentes a la maternidad, la pareja y otras alternativas, pero no es el único factor que debe influir en la decisión final.

Si está indecisa en cuanto a tener hijos o no, esperar a tener una pareja adecuada puede ser algo positivo. Puede ser que le tome unos cuantos años, algunos momentos difíciles y unos cuantos triunfos en otros aspectos de la vida que le permitirán evaluar mejor si quiere ser madre o no. Al final, querrá encontrar una pareja que tenga el mismo punto de vista que usted sobre tener hijos. Su pareja también es un factor para decidir el mejor momento para tener un bebé. Si está interesado en hacer un postgrado prolongado, o tiene ante sí una trayectoria laboral prometedora pero absorbente, puede ser que usted sola quede a cargo de la educación y crianza del niño durante la mayor parte del tiempo. Si su desempeño profesional se estanca debido a la maternidad, ¿cómo se sentirá usted ante el éxito de su pareja y la libertad que se toma en cuanto a los hijos?

*Sentí cierto rencor cuando decidió trabajar seis días a la
semana durante los próximos diez años, en lugar de pasar
más tiempo con nosotros. Mi esposo consideraba que su único
deber, y el más importante, era sostener a su familia. Nos
beneficiamos desde el punto de vista económico pero nos
perdimos de mucho tiempo juntos, de construir lazos y
compartir vivencias y emociones.*

—ELENA

*Mi marido siempre va a estar trabajando porque tiene más
posibilidades de hacer mucho más dinero que yo. Así que seré
yo la que deje el empleo.*

—ESTEFANÍA

El deseo de tener hijos, o de no tenerlos, en el caso de una pareja
mayor es un asunto mucho más claro. Una vez que uno ya alcanza cierta
edad, una relación puede ser más estable debido a la edad misma y a las
experiencias anteriores. Si deciden tener hijos, la relación probablemente podrá soportar los retos y tribulaciones de la nueva situación con más
flexibilidad y paciencia.

*Llevamos mucho tiempo juntos. Ambos hablamos mucho de
la necesidad de sentirnos como una familia, así que
adoptamos un bebé y estamos en medio de la faena de ser
padres. Llevamos una relación equilibrada. Ninguno de los
dos anda llenando una planilla con lo que hizo o no hizo,
sino que tratamos de cubrirnos uno al otro en cuanto a
tiempo y esfuerzo. Así que no ha implicado una tensión para
nuestro matrimonio, como lo he visto en parejas más jóvenes.*

—MARILYN

¿Tendré la energía necesaria para criar a un niño?

Hasta los treintaintantos, una mujer está en capacidad de mantener el nivel de energía necesario para andar detrás de un niño pequeño. Y es probable que también tenga el apoyo y colaboración de su pareja, que compartirá con ella la crianza, a diferencia de lo que pasa con las madres adolescentes.

Además, todavía estará activa y en buena salud una vez que sus hijos crezcan, para disfrutar plenamente la vida "después de los hijos", cosa que no les sucede a las mujeres mayores. Puede ser que entonces decida renovar los votos matrimoniales con su pareja, viajar, encontrar nuevos amigos e intereses. También tendrá la posibilidad de visitar a sus propios hijos y tomar parte activa en su vida adulta.

La energía se convierte en un factor que hay que considerar si uno deja pasar los años. Es como si nos fuera dejando desde el día en que nacemos, pero no lo notamos sino hasta que hacemos el intento de hacer algo que veinte años atrás nos hubiera tomado un instante. Tener hijos y criarlos hará evidente de inmediato un nivel bajo de energía, de maneras que usted jamás sospechó.

> A pesar de todos los consejos y recomendaciones que recibí de amigas de mi edad, no fue sino hasta que me convertí en la madre de Emily que me di cuenta de que no tenía la más remota idea de qué hacer. Cuando me dijeron "no vas a tener tiempo de dedicarte a la música, etc." no lo tomé en serio. Siempre había tenido presiones alrededor, y siempre me las

había arreglado para lidiarlas. Pero la maternidad exigió un
ajuste profundo y me exigió una enorme cantidad de energía.
El primer año fue tremendamente conmocionado desde el
punto de vista emocional, y estuvo lleno de tensiones para
todos.

—JULIETA

Un buen estado físico general, junto con ejercicio regular, pueden contribuir muchísimo a mantener altos los niveles de energía. Pero si usted decide convertirse en mamá cuando ya pasa de los cuarenta, asuntos como la falta de sueño, los dolores de espalda y el agotamiento en general pueden agravarse por cuenta de los diez o veinte años de más. Más adelante, como si lo anterior no fuera suficiente, cuando sus hijos estén entrando en la adolescencia, usted estará llegando a la menopausia, lo cual producirá un choque de dos etapas profundamente marcadas por las hormonas dentro de la misma casa.

Cuando sus hijos estén a punto de entrar a la universidad, usted estará pensando en retirarse, o ya lo habrá hecho. La salud y la energía pueden jugar un papel importante en su interés en visitar a sus hijos, si se han ido a estudiar fuera de la ciudad, o en cuidar a sus nietos. Como comentó una madre mayor que entrevistamos, en tono más bien sombrío, bien puede ser que ella no alcance a disfrutar de los hijos de su hija.

¿Y la estabilidad?

Las parejas jóvenes atraviesan por muchos cambios, relacionados con la educación, el desempeño profesional o, como se mencionó antes, el desarrollo personal.

En esa etapa, las parejas están trabajando para hacerse un camino, construir un nido y crear cierto nivel de seguridad económica para el futuro. Cuentan con las destrezas y el nivel educativo para proporcionarles buenas oportunidades a sus hijos y pueden apartar algo de sus ingresos para ahorrar y así costear la universidad de éstos. Pero para hacerlo tendrán que restringirse en gastos que sus coetáneos sin hijos pueden hacer sin problemas. Si termina teniendo hijos y criándolos sola, puede ser que logre rediseñar su vida con éxito alrededor de la condición de madre soltera. Pero incluso en ese caso es probable que guarde la esperanza de que la suerte acompañe tanto esfuerzo.

Luego de que mi esposo murió, fue un gran desafío ver que tenía que hacerme cargo de todo lo relacionado con los niños. Teníamos sólo mis ingresos y el seguro de vida no había sido mayor cosa. Estaba asustada. Tenía unas pesadillas espantosas en las que debía presentar exámenes para poder trabajar y no había estudiado. "Prefiero no presentar el examen". "Le toca". "¿Y si no lo hago?" "Sus hijos se van a morir". Era un sueño recurrente. Da mucho miedo cargar con toda la responsabilidad sin tener una especie de malla de seguridad, un salvavidas. Pero decidí seguir con mi negocio desde la casa y los niños aprendieron a no hacer ruido cuando sonaba el teléfono.

—TERESA

Las mujeres de más años, así como sus parejas, probablemente ya tendrán una trayectoria profesional sólida. Ya serán propietarios de una casa o apartamento y de los muebles y habrán saldado deudas e hipotecas. Por lo general habrán ahorrado para su pensión de jubilación y vivirán cómodamente. Una madre de más edad también tiene la sabiduría que le traen los años. Puede ser que resulte tan inepta para cambiar un pañal como cualquier primeriza, pero habrá logrado una paciencia que la joven no necesariamente tiene: sabrá que las cosas buenas o malas nunca duran para siempre, conocerá la profundidad y la fuerza del amor, la ilusión del capricho y habrá vivido el dolor, la pérdida y la felicidad. Si logra mantener la energía y llevar una vida larga y saludable, podrá transmitirle esa sabiduría a sus hijos, de una manera que las madres jóvenes no podrían hacer.

> *Trabajo en una institución que vela por el bienestar infantil y mis compañeros se burlaban de que luego de dieciséis años de matrimonio finalmente tuvimos hijos. "Ahora vas a entender por qué la gente maltrata a sus hijos", dijeron. Les contesté de frente que más bien iba a tener menos tolerancia que antes con quienes abusan de sus hijos, porque no podía entender cómo era posible que alguien trate mal a su propio hijo.*
>
> —DEBORAH

3

¿Qué es lo que tanto me preocupa?

Hablemos con franqueza: eso de pensar en tener un hijo y criarlo es algo que da miedo. Nos preocupa no estar a la altura de semejante tarea, o que al poco tiempo nos veamos abrumadas, que acabemos criando a una personita que no nos tenga afecto sino resentimiento o que no lleguemos a dar la talla con respecto a lo que nuestros padres hicieron con nosotros. Pero el miedo no es un sentimiento poco común para las mujeres, ya que terminamos por aprender a caminar de noche por las calles, entre grupos de hombres; no tenemos problema en volver tarde a casa del trabajo, en autobús, tren o conduciendo; aprendemos a hacerles frente a nuestros superiores, nos enfrentamos a la posibilidad de encontrar que tenemos un bulto en un seno un buen día…

Las demás mujeres nos apoyan con frecuencia ante los miedos mencionados, pero, ¿también nos apoyarán en nuestra indecisión frente a la maternidad? Eso es algo que no sabemos.

Nos preocupa que admitir cualquier miedo o duda sobre la maternidad, que muchos consideran nuestro instinto más elemental y nuestro papel social preponderante, pueda llevar a que nos tachen de ser poco femeninas. Pero mantener esas preocupaciones sumidas en el silencio tampoco ayuda a resolverlas.

¿Perderé el control de mi vida?

Es cierto que una vez que uno decide tener hijos, la vida jamás vuelve a ser la misma. Cuando quede embarazada y tenga su bebé, tendrá que perder, por lo menos por una temporada, el control sobre su tiempo, sobre su cuerpo, sobre casi todo. Es normal, pero por lo general es un factor que nubla la vista de las madres primerizas y puede resultar desconcertante para muchas mujeres.

Tener un hijo afectó profundamente mi trayectoria profesional. Me dedicaba a la gerencia. Tenía un trabajo excelente, un sueldo envidiable, acciones en la empresa. Pero tener a mi hija afectó tanto mi salud, y nació tan prematura, que no me atreví a dejarla para volver a trabajar.

—LISA

¡Todo toma el doble de tiempo de lo que uno piensa!

—MARINA

El hecho de tener un hijo implica, inevitablemente, perder cierto grado de control sobre lo que uno hace y el momento en que lo hace. Los niños se enferman y requieren atención, la niñera no puede ir y los niños quieren pasar algo de tiempo con sus padres, casi siempre en el momento menos apropiado. Pero eso no quiere decir que tener hijos implique perder el control de todos los aspectos de la vida, ni dejar de ser la persona que uno ha sido. El dilema gira alrededor de sopesar cuánto control está uno dispuesto a perder y durante cuánto tiempo.

¿Seré capaz de "hacerlo todo"?

Con todo y los maravillosos que pueden ser los momentos en que su bebé ríe o su chiquito dice sus primeras palabras o hace una pregunta sorprendente, o su muchacho adolescente demuestre sensatez, también habrá otros momentos en los que usted se lamentará por lo que tuvo que dejar para convertirse en mamá. Es apenas natural que añore su estilo de vida anterior, con las salidas nocturnas de los sábados, los pasatiempos, tiempo para leer o para hacer ejercicio.

Tener un hijo implica añadirle un segundo turno a su jornada de trabajo normal, y cada vez más mujeres se dan cuenta de lo difícil y lo indeseable que resulta pasar una vida entera a ese ritmo de doble turno diario. Así que toman la decisión de dejar mucho de lo que hacían antes de ser madres, o se convencen de que la maternidad no vale la pena si hay que dejar tanto para poderla ejercer. Piense en la manera como hace uso de su tiempo ahora e imagínese lo que sería hacer una de sus actividades preferidas con un niño pequeño a su lado. ¿Sería posible llevarla a cabo? ¿Valdrá la pena dejar algo de eso atrás? ¿Se arrepentirá después de lo que dejó? ¿Habrá maneras realistas de incluir suficientes cosas de ésas en su vida de mamá como para mantenerla plena y feliz?

> *Los chiquitos exigen atención constante. Queda muy poco tiempo para uno. Una de las cosas que hice fue enseñarles a mis hijos que todos los días tenían que permitirme un tiempito para mí, cosa de una hora, y ellos no tuvieron ningún problema en concedérmelo.*
>
> —SUSANA

A medida que pasaron los años y tuve más hijos, logré anticipar algunas de nuestras necesidades y fui construyendo la base para contar con el apoyo adecuado. Muchos videos para que los niños vieran, de manera que yo pudiera descansar, y ayuda doméstica tres veces a la semana.

—HELENA

La única cosa que las mujeres que lo "hacen todo" no logran hacer es sacar algo de tiempo para sí mismas. Dado el reto que implica la maternidad, eso no es ninguna sorpresa.

Estaba muy cerca de conseguirlo todo, pero cuando estaba casi en la cima, me di cuenta de que no tenía nada y terminé odiando todo. Pensé que una vez que lo lograra, la gente me vería por la calle y se acercaría para decirme: "Así que lograste tenerlo todo, ¡qué bien!" Uno no recibe puntos de bonificación por hacerlo todo, y se queda corto siempre por algún detalle en todos los aspectos: trabajo, pareja, niños, uno mismo y todas las cosas que toman tanto tiempo pero de las que nadie habla, como las dieciocho notas de agradecimiento que hay que escribir o las múltiples llamadas a los almacenes de zapatos, porque fuimos a dos un sábado y nos dimos cuenta de que no era tan fácil conseguir zapatillas de ballet.

—GEORGINA

Si eres una mujer completamente independiente, dedicada en cuerpo y alma al trabajo y con ansias de escalar más alto como profesional, es mejor no tener hijos. Y si tienes entre trece y veinticinco años y no quieres tener que cargar con la responsabilidad total de otro ser humano por lo menos durante doce años, o sea limpiar y bañar, cambiar pañales, alimentar, limpiar vómito y caca, no dormir noche tras noche, acabar con la vida social, lo mejor que puedes hacer es no tener hijos. Y así serás feliz.

—FANY

¿Seré capaz de lidiar
con tantas responsabilidades?

Algunas mujeres, que siempre se habían concentrado más que nada en sus propias necesidades, dan un giro completo cuando deciden ser madres y quedan embarazadas. Su familia y amigos pueden sorprenderse mucho por el repentino deseo de estas mujeres de proteger su salud y la del bebé de las fuerzas externas. Si antes difícilmente volvían a casa antes de medianoche, una vez que nazca el bebé se sentirán satisfechas por completo si se quedan en casa, cuidando y contemplando a su retoño. Esa etapa puede ser de mucho crecimiento personal y puede llegar a ser una oportunidad para aprender más de su fuerza interior y de sus capacidades.

> *He ido creciendo al mismo tiempo que mis hijos, reconociendo cuando me equivoco (y ellos tienen razón), y estoy segura de que gracias a ellos me he convertido en una mejor persona.*
>
> —ABIGAÍL

> *Creo que mis hijos me hicieron volverme más sensata. Desde mi punto de vista, dejarse llevar menos por los impulsos equivale a ser más sensato. Y además me hacen feliz, y ser feliz es bueno.*
>
> —ESTELA

Mi primer hijo me ayudó a tomar decisiones que implicaron grandes cambios en mi vida. Cuando quedé embarazada, yo era una persona más bien inestable, muy dada a tomar decisiones por mero capricho y sin pensar mucho en las consecuencias. Convertirme en mamá me ha vuelto mucho más responsable.

—SILVIA

Pero una rutina que implica no poder volver a salir en las noches, así de repente, porque hay que alimentar al bebé, puede ser como una camisa de fuerza para algunas mujeres. ¿Qué tan importante es para usted tener la libertad de salir a tomarse un trago si alguien llama a invitarla a las 9 p.m.? ¿Cómo se sentiría si amanece con una gripa muy fuerte y se da cuenta de que es la única persona que puede hacerse cargo de su bebé que llora y tiene hambre y necesita un cambio de pañal?

Hace unos años me diagnosticaron un síndrome inmunológico, pero en general siempre he sentido mucha fatiga. Cuando los demás faltaban un día al trabajo por culpa de un resfriado, yo caía en cama una semana entera. Así no hay manera de que pueda ocuparme de otro ser humano.

—HELENA

Adoro mi independencia, hacer lo que quiero y cuando quiero, y no tenerme que ocupar de nadie más. ¡Si hay días en que apenas puedo conmigo misma! No sé cómo hacen quienes tienen hijos.

—JULIA

¿Me caerá bien mi hijo?
¿Le caeré bien a él?

Los niños son extraordinariamente adaptables y elásticos y no resulta sorprendente que ser padre o madre influya en ese mismo sentido sobre los adultos. Sin embargo, muchas personas han sido testigos del berrinche de alguna criatura de dos años, que incluye el temido "ya no te quiero" y a lo mejor se preguntan qué sentirá la mamá del niño en ese momento.

> *Cuando mi cuñada tuvo bebé, fuimos a verla. En el hospital se la veía muy adolorida y ni se acercaba al bebé. Pensé: "¿Y qué pasa si no me llevo bien con mi bebé?" Lo que me asusta es que no puedo establecer un nexo con él ahora que estoy embarazada, y siento que debería poderlo hacer. Sueño con que cuando nazca mi hijo, estaré sentada en la cama en el hospital, con el niño alzado, sin preocuparme por el dolor y a la espera de que la gente nos vaya a visitar. Pero eso no fue lo que vi en el caso de mi cuñada.*
>
> —MELBA

Muchas futuras mamás no quieren pensar en ese asunto hasta después del parto. Y ahí se desencadenan las dudas. Una madre que acaba de tener bebé puede preguntarse por qué su hijo no responde de manera especial a ella, pero los recién nacidos no reaccionan de manera notoria ante nada. La madre de un niño algo mayor se pregunta si su hijo sabe lo que dice cuando le grita "no te quiero". A lo largo de cada etapa del desarrollo de sus hijos, tarde o temprano, es posible que usted se preocupe por saber si les agrada y si se sienten bien con usted o no.

> *De verdad pensé que las cosas serían más fáciles a medida*
> *que creciera. Las exigencias van cambiando, pero siguen ahí.*
> *Me alegraba verlo cada vez más independiente, pero a veces*
> *eso mismo me entristecía. A ratos, cuando no me necesita,*
> *siento que no le agrado.*
>
> —ANA

> *A veces me inunda una sensación muy similar a lo que se*
> *siente cuando uno se enamora por primera vez. Todo esto de*
> *ser mamá es mucho más intenso de lo que esperaba.*
>
> —BERTA

La preocupación por la relación con sus hijos es algo que nunca desaparece, y muchos de los conflictos con los niños pequeños se repiten de maneras similares una década más tarde, con los adolescentes.

> *Teníamos dos hijas en secundaria y una en primaria, las tres*
> *en escuelas católicas. Las dos mayores estaban realmente*
> *molestas conmigo cuando su papá nos dejó. ¿Cómo iban a*
> *conseguir un auto ahora? La fuente de dinero se había ido y*
> *era mi culpa. Lo mejor es que las tres aprendieron a*
> *respetarme y luego de mucho dolor y mucha terapia, cada*
> *una de ellas sabe que puede hacer las cosas por sí misma. Ése*
> *es otro aspecto del cual me enorgullezco: pueden pensar por sí*
> *mismas. Son capaces de pensar.*
>
> —AMANDA

Los niños y los jóvenes van a poner a prueba su confianza en usted misma y la llevarán a cuestionar sus decisiones y a sentirse novata en casi todos los aspectos de la vida.

> *Hay que ser inteligente y valiente. En los días en que uno no*
> *llena ninguno de esos requisitos, es necesario ser capaz de*
> *reírse por eso mismo. Un bebé no se da cuenta si su camisa*
> *está sucia, pero sí sabe si uno se alegra de verlo.*
>
> —NATALIA

¿Me volveré igual que mi madre?

Hay mujeres que hacen hasta lo imposible para evitar convertirse en sus madres. Otras dudan de que puedan estar a la altura del modelo que ellas les impusieron. Convertirse en madre implica un aprendizaje similar a los demás: aspiramos a copiar características de aquéllos a quienes admiramos y tratamos de evitar las que nos desagradan. Infortunadamente, no siempre tenemos éxito en estos caminos.

Tenía una frustración enorme por algo que no había resultado bien en mi niñez. Luego vino el sentimiento abrumador de querer hacer algo para remediarla, para controlarla y remediarla. Me aterra pensar que si no ando alerta las 24 horas del día, voy a pasar algo por alto y me convertiré en mi madre.

—OFELIA

Quiero criar y educar a mis hijos de la misma manera que lo hicieron conmigo. Es algo un poco a la antigua. Simplemente quiero volver a vivir mi infancia a través de la de mi bebé. Mi madre era refunfuñona, generosa y muy tradicional. Ahora tenemos una buena relación, pero cuando yo era niña no nos llevábamos muy bien. Una vez que dejé la casa para ir a una universidad en otra ciudad, todo fue de maravilla.

—MARÍA

Convertirse en madre permite entender desde una nueva perspectiva a esa mujer que siempre hemos conocido como "Mamá". Si decide tener hijos, es casi inevitable que en algún momento termine diciéndoles algo que de niña juró jamás decirles a sus hijos. Puede ser que incluso llegue a hacer cosas que juró jamás hacer. Estas palabras y actos van desde el conocido "porque yo te lo digo" hasta abusos físicos y emocionales mucho más perjudiciales.

A medida que se descubra repitiendo rasgos de su madre, su respuesta puede variar entre una reacción de perdón hacia ella o de alerta para no caer de nuevo en la repetición. Identificar esos rasgos y reconocer su impacto puede contribuir muchísimo para tener sus miedos bajo control. Por ejemplo, infracciones menores del tipo de "porque yo te lo digo" o de obligar a su niño a ponerse mil prendas de abrigo para poder salir a la calle cuando el clima es frío le darán la oportunidad de mirar en retrospectiva a la mujer que fue su madre, para aceptarla e incluso reírse por la manera en que la vida gira en círculos sobre sí misma. Actitudes más hirientes pueden ser un indicio de que es necesario buscar ayuda profesional. El problema puede ser más grande de lo que uno alcanza a manejar, pero con refuerzos podrá superarlo.

Estuve en terapia para tratar de ser madre y tenía que desentrañar la relación con mi mamá. Eso es lo que sucede cuando uno tiene un hijo, porque tanto yo como ella entendimos lo que había pasado y la frustración. Y yo quería preguntar: "¿Por qué no pudiste ser tal o cual modelo de madre?"

—MICHELLE

Trato de no poner a mi hija en el centro de las miradas. Cuando estamos entre adultos trato de no decir cosas que podrían avergonzarla y espero seguir así. Mi mamá me hacía sentir vergüenza constantemente.

—TRINI

¿Y qué pasa si de verdad no quiero tener hijos?

Desde la más tierna infancia, las mujeres se ven bombardeadas con la idea de ser madres. Y así terminan oyendo vocecitas en su interior, que les repiten que si no tienen hijos no serán mujeres a cabalidad, sus parejas no las van a querer, o sus padres van a decepcionarse. Las mujeres que han decidido no tener hijos deben acallar esas voces y seguir adelante.

Cuando estaba terminando el colegio, me imaginaba que me casaría y criaría a mis hijos. Ésas eran las expectativas de las jovencitas en esa época. Afortunadamente no tuve hijos, porque se me hubieran atravesado en el camino. Jamás sentí la necesidad de ser mamá. Jamás pensé que me gustaría tener muchachitos para criar, mocosos por sonar, cuentos por leer antes de ir a dormir.

—CARMEN

Yo siempre pensé que tendría hijos. Pero desde los inicios de nuestra relación, mi esposo dejó en claro que no quería tenerlos. La verdad es que entre mi trabajo y el cuidado de los niños no me quedaría tiempo para mí con tanta cosa. Adoro mi trabajo, en serio que sí. No estaría dispuesta a dejarlo y

no me imagino tampoco que me sentiría satisfecha a nivel
profesional si empezara a trabajar medio tiempo nada más.

—LENA

Si se encuentra bajo presión para tener hijos, y prácticamente toma la decisión de hacerlo porque es lo que se espera de usted y no hay otra salida, puede resultar conveniente que lo piense una vez más y sopese sus motivaciones. Al fin y al cabo, usted será la madre y la responsable de sus hijos por el resto de su vida. Luego de que sus padres se hayan muerto, y quizás su cónyuge, probablemente usted será quien quede a cargo de su hijo. Asegúrese de tomar la decisión de tener un hijo por cuenta propia (este tema se discutirá más adelante, en el capítulo 6, "¿Cómo afecta a una relación de pareja el tener hijos?").

¿Seré egoísta
si no tengo hijos?

Las mujeres que toman la poco tradicional decisión de no tener hijos a menudo se enfrentan a las reacciones adversas de amigos y familia, cuando éstos se enteran de que no hay bebés en el horizonte. Puede ser que uno no tenga la opción de cambiar lo que la gente piensa, pero recuerde siempre que la decisión es suya.

Las mujeres a las que entrevistamos que habían decidido no tener hijos estaban a gusto con su decisión y fueron muy sinceras al respecto. Algunas reconocieron que sí se sentían egoístas, como respuesta a esa acusación tácita, pero le dieron al término una nueva definición: ser egoísta, según ellas, implica hacerse cargo de uno mismo y eso también quiere decir que uno nunca le dejará a su hijo nada más que las migajas de su tiempo y su atención. Otras señalaron que el supuesto de que una mujer sin hijos es egoísta tiene que ver con la idea tradicional de que la maternidad es el deber de toda mujer. Una de ellas sugirió que ambas alternativas de la decisión, tener hijos o no tenerlos, pueden estar motivadas por el egoísmo; por ejemplo, hay personas que eligen tener hijos para así lograr el amor incondicional que augura un niño pequeño.

Las mujeres que han decidido no tener hijos anotan que esa decisión les ha dado una sensación de libertad increíble en cuanto a cada aspecto de su vida cotidiana y la planeación de su futuro. Afirman tener más opciones y más tiempo para dedicarle a su profesión y a su relación de pareja.

Miro a mi hermana y veo que tuvo que hacer una pausa en
su vida para criar a sus tres hijos. Los intereses externos que

tenía han ido disminuyendo. Sin hijos, yo no tuve que hacer
pausas para llevar a este niño aquí o al otro allá.

—JENNIFER

Estas mujeres han diseñado una respuesta preestablecida para las personas que les preguntan por qué no han tenido hijos o que les insisten, en forma descortés, que deberían tenerlos. Las siguientes son algunas de las respuestas, particularmente eficaces:

- Lo pensé (pensamos) mucho y decidí (decidimos) que tener hijos no es lo más adecuado para mí (nosotros). Es una decisión muy personal, usted comprenderá.
- Decidimos no tener hijos, pero cuénteme de los suyos.
- En lugar de eso, tenemos perros, ¡y nos mantienen bastante ocupados!

Una de esas respuestas por lo general resulta suficiente para que la conversación pase hacia otro tema.

Si no tengo hijos, ¿me sentiré muy sola en la vejez?

Las mujeres que han decidido no tener hijos aseguran que tenerlos no es una garantía de lograr una vejez acompañada. Abundan las historias de hijos que se mudan a otra ciudad o que se desentienden de sus padres ancianos, así como hay otras que muestran el otro extremo del espectro. Las mujeres sin hijos han optado por acudir a amigos o a la familia extensa en busca de ayuda, y es a ellos a quienes les heredarán sus bienes.

> *El temor a una vejez solitaria no es razón suficiente para tener hijos. Aún conservo una familia numerosa que me quiere y no me dejaría sola, por mi cuenta y riesgo, sin más. Soy extremadamente sociable y si termino en un hogar de ancianos o algo así, seguramente haré amigos allá.*
>
> —IRENE

Incluso quienes tienen la firme convicción de no tener hijos pueden llegar a sentir cierta ausencia, o un vacío, de vez en cuando, especialmente si pasan ratos con niños en entornos sanos y agradables. Esa sensación no necesariamente quiere decir que tomaron la decisión equivocada, al igual que los remordimientos ocasionales tras tener hijos no necesariamente significan que uno no debería haberlos tenido. La vida está llena de matices y ninguna decisión lleva a lo blanco o a lo negro, sino que tiene sus aspectos positivos y sus aspectos negativos.

Hablamos mucho de ese asunto luego de pasar un fin de semana con mis sobrinos, una niña de dos y un niño de cuatro. Pero termino el fin de semana agotada y me acuerdo de por qué no tengo hijos.

—SELENA

Los parientes jóvenes pueden proporcionar la frescura inocente que muchas mujeres sin hijos pueden extrañar. Algunas de ellas optan deliberadamente por profesiones que las sitúan entre niños, como pediatría o enseñanza primaria. Hay otras que se convierten en una especie de hermana mayor o de tía de los hijos de sus amigos, así no exista ningún parentesco. Y también hay quienes llenan su vida con actividades que tienen un componente lúdico, como la escritura, el arte, la escultura o el teatro. Hay muchas otras que encuentran una buena dosis de afecto y compañía en sus mascotas.

Cuando oía a alguien decir: "daría la vida por mis hijos", siempre pensaba que era una frase de cajón. Pero luego, hace dos años, conseguimos nuestra primera mascota y eso me cambió la vida. El amor y la devoción absolutos, sin importar cómo ni qué, que este animalito me da… ¡los perros han construido tanta calidez y tanto amor!

—TANIA

Muchos dueños de mascotas pueden confirmar el intenso vínculo que tienen con sus animales. Esto no quiere decir que si alguien tiene un hijo y una mascota pueda ponerlos al mismo nivel, pero para mujeres que no han tenido la experiencia de criar hijos, las mascotas ofrecen algo cercano al amor incondicional que las madres sienten por sus hijos.

Las mujeres entrevistadas habían sopesado profundamente su decisión de no tener hijos. Algunas no tuvieron la oportunidad de procrearlos. Otras se vieron enfrentadas a largos regímenes de tratamientos de fertilidad que no pudieron soportar o costear. Otras simplemente llegaron a la conclusión de que tener hijos no estaba dentro de sus prioridades. Sin importar cuál fuera el origen de su decisión en contra de la maternidad, todas estuvieron de acuerdo en subrayar que era algo que había que pensar muy bien y no tomarse a la ligera.

Es una decisión que fue evolucionando con el tiempo, al mismo tiempo que redefinía lo que era importante en mi vida. Si el hombre correcto hubiera aparecido en mi vida a los veintitantos, seguramente habría tenido hijos y creo que me hubiera arrepentido desde el fondo del corazón.

—ESTHER

Nos percatamos de que las mujeres que más se arrepentían de su decisión fueron las que sí querían pasar por la experiencia de criar y educar a un niño, pero que se les hizo tarde en la vida. Las que habían decidido no tener hijos sentían algo de arrepentimiento de vez en cuando, naturalmente, pero en términos generales mostraban la satisfacción de haber tomado la decisión más adecuada para su caso.

4

¿Qué efectos tendrá el embarazo sobre mi salud?

La mayoría de los libros sobre embarazo que se consiguen podrán orientarla sobre el proceso del embarazo y sus implicaciones. Libros como **Qué esperar cuando se está esperando** *y* **El nuevo libro del embarazo y nacimiento** *le explicarán los cambios que verá día a día y semana a semana en su cuerpo.*

Habrá mucho tiempo para enterarse de los cambios hormonales y las episiotomías. Por ahora, será suficiente ocuparnos de algunas de las dichas, sorpresas y retos, tanto físicos como emocionales, que enfrentarán quienes se decidan a tener hijos.

¿Y si quedo embarazada pero sigo indecisa con respecto a tener hijos?

La ambivalencia que gira alrededor de la decisión de ser madre no termina con el resultado positivo de una prueba de embarazo. Para algunas mujeres ése es el comienzo. Esa ambivalencia puede ser mucho menos marcada si se cuenta con el apoyo del padre o si el embarazo ha sido planeado. Si usted toma la decisión en serio y hace todo lo que esté en sus manos para planear hacia el futuro, es un buen indicio. También hay que tener en cuenta que parte de lo que sienta puede atribuirse a cambios hormonales mientras el cuerpo se adecúa al embarazo.

En días buenos, se va a sentir en el paraíso: enamorada de su pareja, si la tiene, y plena de afecto por ese ser que crece en su interior. Tendrá la seguridad de que ya está todo planeado y que, pase lo que pase, va a ser una mamá fabulosa.

En los días malos, se preguntará cómo diablos se metió en ese lío. Tratará de encontrar maneras de salir de él, de dar marcha atrás y volver a empezar y simplemente hará de cuenta que nada de eso está ocurriendo. Sentirá que hay un ser extraño que crece en su interior y se preguntará cómo es posible que alguien se comprometa con algo semejante. Sospechará de su pareja y estará convencida de que su jefe la va a despedir.

Acudí a la inseminación artificial para tener un hijo.
Después fui a conseguir la prueba de embarazo y la noche en
que me la hice resultó positiva; estaba en shock. No le dije a

nadie. Esperé a la mañana siguiente. Me sentía llena de
ansiedad así que tuve que salir temprano del trabajo y pedir
unos días libres. Me pasé los días siguientes pensando en el
asunto. ¿Era eso lo que yo quería? Cuando la primera vez no
funciona y el embarazo no resulta, uno puede sentir la
decepción y pensar dos veces si eso era lo que uno quería.
Pero en mi caso fue más bien como un acto de fe.

—SUSANA

¿El parto es tan terrible como dicen?

Por lo general, el parto es un proceso doloroso. Pero consuela un poco pensar que los medicamentos que existen en la actualidad, así como ciertos procedimientos, permiten que uno maneje mucho mejor el dolor y que así salga de la experiencia del parto con una sensación de triunfo. Usted cuenta con una serie de opciones, que su obstetra o comadrona podrá ofrecerle, y que incluyen cursos de preparación para el parto, toda una variedad de anestésicos y otras técnicas de manejo del dolor para sacarle el mejor partido a ese momento.

Además, hay algo de cierto en ese rumor de que el parto es un dolor perfectamente olvidable.

> *¡Pasé 38 horas en trabajo de parto! Afortunadamente, sólo tuve que pujar durante las tres últimas. Fue agotador, eso sí. Y tengo que confesar que hubo momentos en que pensé lo peor de mi esposo, aunque el pobre estuviera ahí, agarrándome la mano. Pero una vez que estás ahí, no hay vuelta atrás. La esperanza es pasar por ese momento lo mejor que se pueda y con algo de dignidad. Y sí, ¡los medicamentos ayudan!*
>
> —EVA

> *Ni siquiera me di cuenta de que ya había empezado trabajo de parto. Salí del baño y pensé que se me había reventado la vejiga, así que volví al baño para oler si lo que me mojaba la ropa interior era orina u olía diferente, pues eso dicen. Y mi*

marido entró y dijo "¿qué estás haciendo?" Me llevó al
hospital y el agua seguía saliendo. Me puse una toalla, y
encima pantalones de sudadera, pero era muy incómodo
porque seguía saliendo y yo estaba ya en la camilla.

—KARINA

En el fondo, es usted la que toma la decisión de si saber que le aguardan unas cuantas horas de dolor será lo que la inclina a rechazar la alternativa de la maternidad o no.

¿Hay sexo después del parto?

Muchas parejas se preguntan si luego de tener hijos pueden aspirar a una vida sexual placentera. La respuesta depende de a quién se le pregunte. La madre de un recién nacido puede quedar horrorizada con la propuesta, pero es cuestión de darle unas seis semanas o un par de meses más y quizás esté más interesada en el asunto. La naturaleza se las arregla para que los seres humanos sigan procreando, aunque las mujeres relatan diferentes experiencias sexuales luego de tener un bebé. La lactancia puede hacer que la vagina esté menos lubricada que de costumbre y su pareja puede interpretarlo como señal de desinterés. O bien puede ser que después de tener al bebé alzado todo el día, o por lo menos eso parece, usted de verdad carezca de interés por el sexo.

El sexo era mucho menos frecuente. Al final del día yo estaba muy cansada y la mayoría de las veces lo que quería, cuando me metía a la cama, era tener algo de tiempo para mí.

—ANNIE

Sinceramente, mientras los niños iban creciendo, cualquier relación íntima era imposible. Me aterraba volver a quedar embarazada y me sentía abrumada por los niños.

—ELDA

Con frecuencia sucede que la espontaneidad desaparece debido a las necesidades de los hijos. Sin embargo, si se organiza para dedicarle un poco de tiempo a la pareja, puede llegar a mejorar la relación. Las parejas felices y duraderas encuentran tiempo para estar en compañía, lo cual es un aspecto importante para mantener una relación sana una vez que nace el bebé.

> *Creo que los niños mejoraron nuestra relación en el aspecto romántico. Hacer el amor a escondidas, cuando uno comparte una habitación de hotel, es excitante. Ser madre me hace sentir más mujer. El embarazo y el parto me abrieron la puerta a todo un mundo nuevo de feminidad.*
>
> —LIZA

> *Los niños nacen con un radar incorporado que hace que se entrometan en el momento más inesperado. Si uno intenta ponerse "cariñoso" con niños presentes, incluso si están dormidos, algo sucede.*
>
> —CRISTAL

> *Como madre soltera, mi respuesta en ese aspecto fue simplemente suprimirlo.*
>
> —MELISSA

Las mujeres además tienen argumentos físicos para sentir miedo del sexo luego del parto. Como no podemos examinar nuestros genitales, no sabemos si todo sigue en orden allá abajo. Puede ser que uno tenga una episiotomía (una incisión entre la vagina y el ano que se practica durante el parto) que aún no ha sanado. O le puede preocupar que la vagina se haya ensanchado y eso ya no le resulte atractivo desde el punto de vista sexual a su pareja. Y si le hicieron una cesárea, tendrá una larga línea de puntos, recién cicatrizados, en el abdomen.

> *Claro que el cuerpo se desgasta. Las caderas y las costillas se expanden. Y están las episiotomías (cuatro en mi caso) y el tiempo que tarda la cicatriz en sanar. Y encima de todo, al final de mi cuarto embarazo, tenía un cálculo renal que no habían detectado y que se mantuvo inmóvil en el uréter durante tres meses.*
>
> —LETICIA

Yo tenía la tendencia a juntar mis defectos físicos y culpar al embarazo de todos ellos, o al bebé. Tenía más años, me cansaba más, no tenía tiempo para nada, y probablemente tampoco le dedicaba mucho tiempo a mi propio cuidado. Más adelante resultó más fácil culpar a los niños que decidirme a sacar un rato para descansar o para ir al gimnasio con más frecuencia.

—ALICIA

Me da miedo decir que tengo miedo

Hagamos una lista de los miedos: el parto, la maternidad, la relación de pareja, el trabajo y podríamos seguir y no parar. Es normal sentir miedo, pero la mejor manera de contrarrestarlo es con conocimiento. La otra manera, también eficaz pero menos que la anterior, es con seguridad. Si uno sabe en qué se mete, y está seguro de su fuerza, puede llevar a cabo lo que quiera, incluyendo la maternidad.

Entre los miedos y preocupaciones que tratamos en los capítulos 3 y 11, muchas mujeres embarazadas descubren que temen convertirse en víctimas. Sucede que sueñan que las atacan, o se vuelven más aprehensivas ante personajes sospechosos con los que se cruzan en la calle. Puede ser que ésta sea una reacción instintiva para proteger al feto, pero también puede ser desconcertante para mujeres que por lo general se han sentido seguras de su capacidad para salir con bien de muchas situaciones.

> *Jamás me he sentido tan vulnerable como cuando estaba embarazada. Vivía en una ciudad grande, donde de todas formas siempre estaba nerviosa. Y con el embarazo, no podía correr rápido si necesitaba huir. En general no podía manejar mi cuerpo tan bien como antes. Y sentía que cualquier hombre con el que me cruzaba por la calle era una amenaza. Sabía que era algo irracional, pero no podía controlarlo.*
>
> —CECILIA

Muchas mujeres embarazadas también temen que su condición presente, y su futuro papel de madres, las vaya a convertir en seres carentes de atractivo a los ojos de sus parejas.

En las últimas dos semanas, he tenido sueños en donde veo a
mi marido hablando con otras mujeres, ¡y me dan unos celos
terribles! Puede ser que sienta que ya no me veo sexy y que ya
no soy lo que él desea.

—ELEONORA

Habrá muchos momentos en que el miedo va a parecer imposible de soportar y puede incluso concentrarse en la gente que usted más quiere, incluida su pareja. Estos miedos, al igual que la indecisión y la depresión ocasional, son fenómenos pasajeros para la mayoría de las mujeres.

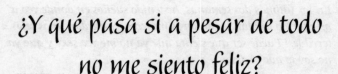

¿Y qué pasa si a pesar de todo no me siento feliz?

Muchas mujeres embarazadas, y madres primerizas, creen que hay algo que no anda bien si no las invaden los sentimientos positivos tan pronto como descubren que están embarazadas, o en las primeras semanas luego del nacimiento del bebé. Se preocupan porque creen que son las únicas mujeres en el mundo que se sienten así, pero no es verdad.

Un embarazo intempestivo, el prospecto del trabajo de parto, luego el parto mismo (ya sea que el embarazo fuera planeado o no) y los cambios en la vida que se avecinan contribuyen con la ansiedad de toda mujer embarazada y pueden opacar los sentimientos positivos ante la noticia. Una mujer que pasa por un embarazo perfectamente feliz puede sentirse abrumada al descubrir que su bebé no reacciona ante ella, pero hay que recordar que pasarán semanas antes de que una mamá vea la primera sonrisa de su criatura. Cuando la realidad se queda corta frente a las expectativas de una mujer respecto a la maternidad, ésta puede dudar de sí misma y preguntarse si acaso hay algo mal en ella. Pero para la mayoría, es sólo una fase pasajera.

> *Cuando me enteré de que estaba embarazada, mi primera*
> *preocupación fue perder mi trabajo. La siguiente fue*
> *encontrar una niñera o una guardería que pudiera pagar y*
> *que fueran adecuadas. Y luego me preocupé por cómo iba a*
> *hacer para sacar tiempo para ocuparme de las necesidades*
> *del bebé. No importa desde qué lado lo miremos, el mundo*
> *laboral no es fácil para las madres.*
>
> —ÍNGRID

Con mi primer hijo no logré establecer un vínculo profundo hasta casi el primer año. Me sentía bastante desilusionada porque mis expectativas se basaban en la idea de que la maternidad es sólo dicha y felicidad.

—YOLANDA

Cuando tenía dos meses, le estaba cambiando los pañales a mi hija y hablándole, tratando de no ver lo espantoso que había en el pañal y de dejarla limpia y seca, y la miraba. De repente, balbuceó y me sonrió. Era su primer intento por comunicarse. Fue como si los nueve meses de embarazo y los dos meses de cuidado 24 horas al día finalmente dieran fruto. Fue algo que me compensó por completo y que necesitaba justo en ese momento. Eso de que me reconociera y tratara de expresarse me ayudó mucho.

—EMMA

Las madres primerizas que no experimentan ninguna alegría en los primeros meses van desanimándose poco a poco. Ese descenso en espiral puede ser devastador, si no se le presta atención. Una mujer puede sentir que debería estar muy feliz en ese momento de su vida, pero no encuentra esa felicidad. Entonces, se enfurece consigo misma porque no se siente feliz como cualquier "buena" mamá, lo que la hace sentirse peor. Ahora más que nunca antes, la gente reconoce que las primeras etapas de la maternidad pueden ser demasiado para una mujer. Una pareja que la apoye y amigos y familiares comprensivos que se hagan cargo del bebé y le den a entender que está bien dedicarse un rato a sí misma pueden ser de mucha ayuda si usted necesita tiempo para acostumbrarse a su nuevo rol. Claro que si eso no es suficiente, un profesional puede ayudar y enseñarle mecanismos para superar los nuevos desafíos.

¡Me sentí tan infeliz durante los primeros ocho o nueve meses! Mi esposo me regaló un negligé, y así logré sentir que yo no era simplemente un seno enorme cuya razón de ser era alimentar al bebé.

—LUCY

¿Perderé la línea para siempre?

Esto depende en buena parte de la importancia que usted le dé a su figura. Si es una mujer de ésas que van al gimnasio tres veces por semana o que siempre encuentra un rato para salir a correr, es muy probable que encuentre el tiempo y la manera de recuperar la línea. Tendrá que acomodarse a las nuevas exigencias de su vida, que incluyen el cuidado de su recién nacido 24 horas al día y la falta de sueño que la mayoría de las mujeres experimenta durante los primeros meses. Pero la extraña forma de su cuerpo luego del parto puede servir de buena inspiración para superar esos obstáculos.

El parto vaginal necesariamente produce un ensanchamiento de caderas o, en términos más técnicos, de pelvis, para permitir que el bebé nazca. Pero ese ensanchamiento no es permanente y usted puede recuperar la línea a medida que el cartílago se hace rígido.

Claro está que el embarazo tiene efectos a largo plazo sobre el cuerpo de la mujer. Aunque la medicina no siempre lo reconozca, muchas mujeres afirman que luego del embarazo les cuesta mucho bajar de peso y recuperar el tono muscular. Puede ser terriblemente difícil liberarse del vientre flácido que produce el embarazo, lo que puede convertirse en una fuente de frustración. Las estrías no desaparecen en la mayoría de los casos. Puede ser que la nueva rutina, que le deja poco tiempo libre para hacer ejercicio, el menú, casi siempre determinado por el tiempo que tenga para preparar la comida y lo que los niños quieran comer, o la combinación de la edad y los cambios de estilo de vida, contribuyan a que su cuerpo cambie de forma. Además, es probable que su pelo se haga algo más fino, que su vejiga ya no sea lo que solía ser y que la lactancia (a pesar de todos los beneficios que le acarrea al bebé) haga que sus senos pierdan densidad y se vean distintos.

Sí, tengo estrías en la barriga y mi vejiga ya no resiste tanto, pero sencillamente no me pongo bikini (mis niños dirían "qué horror, mamá", en todo caso) y voy con mayor frecuencia al baño.

—CORINA

Antes del embarazo yo adoraba hacer ejercicio, pero luego algo sucedió con mi motivación, con la energía y el tiempo para ir al gimnasio. Así que ya no voy más.

—MARIANA

Ahora sufro de migrañas casi todo el tiempo y mis caderas no quieren volver a mi talla anterior, la 6. Eso me molesta porque no tengo el dinero para salir de compras y conseguir ropa de mi nueva talla.

—MATILDA

A pesar de que estos cambios son problemáticos para algunas mujeres, hay otras que aprenden a aceptarlos. Algunas incluso los exhiben como trofeos de la maternidad. Y hay también quienes afirman encontrar un placer inesperado en su nueva figura maternal.

Ya hice las paces con ese gordito que tengo debajo del ombligo, ¡y me olvidé de los bikinis!

—VANESSA

El embarazo me mejoró la figura. Mi esposo disfruta mis "curvas". El peso que gané es típico de la maternidad. Y curiosamente ahora tengo más cintura que antes de tener a mi primera hija y eso que ahora peso 10 kilos más.

—MARY

Mi pareja dice que mis senos son más bonitos ahora que a los veintidós. Y dice que siempre le estará agradecido a mis hijas por eso.

—NORMA

¿Me sentiré feliz cuando todo pase?

La dicha que sienten los padres al ver a su recién nacido es casi indescriptible. Muchas mujeres han tratado de expresar la intensidad de la dicha que experimentan cuando sienten al feto patear por primera vez, o al acunar al bebé en sus brazos, o al llevárselo a casa y aprender a amamantarlo. No hay límite para la emoción y la maravilla de los padres que ven que su bebé responde cada vez más a sus voces y caricias durante las primeras semanas. A medida que crece, el bebé transfigura a los adultos que lo rodean con sus sonrisas y balbuceos y estirando los bracitos para que lo alcen. Muchas mujeres afirman que su bebé les enseñó más sobre el amor que cualquier otra experiencia de su vida.

> *Me encantó el embarazo. La experiencia de sentir al bebé patear, crecer, ver por primera vez el latido de su corazón en la ecografía. Todo el mundo se burlaba de mí porque mi oficina parecía una especie de buffet: tenía plena autorización para comer lo que quisiera.*
>
> —CARMEN

> *Por primera vez en la vida he sentido lo que es la dicha. Ahora soy más tranquila y creo que puedo ver las cosas como realmente son. Tengo más paciencia y juzgo menos.*
>
> —CLARA

Pero no todas las mujeres se sienten así de felices luego del nacimiento de su bebé. En lugar de eso, las sorprende no producir ninguna reacción en su bebé o las abruma la realidad del sueño interrumpido, el olor y el desorden de los pañales y a veces también la sensación agobiante de aislamiento.

> *Mi primer hijo lloraba muchísimo. Tuve enormes problemas con eso y con cómo seguir adelante con la vida en general. No estaba preparada para nada de eso.*
>
> —LARISA

> *Me sentí muy sola porque no tenía otras amigas que fueran mamá. Todas trabajaban. No vivía en un vecindario donde viera a otras mujeres con cochecito de bebé. Me sentí aislada. No tenía familiares que vivieran cerca.*
>
> —ANDREA

¿Me deprimiré?

Muchas mujeres pasan por todo el período de embarazo y el postparto sin sentir jamás una depresión. Pero para aquéllas que tienen tendencia a deprimirse, el embarazo no ofrece ni la más mínima protección. Para muchas mujeres el embarazo es una época emocionante, llena de euforia, dicha y de sentir toda la atención del mundo volcada sobre ellas. Para otras, puede ser el mayor reto al que se enfrenten en la vida. Las preocupaciones económicas, un embarazo inesperado, la interrupción de la carrera profesional, problemas en la relación e incluso una oleada de calor opresivo pueden amilanar a cualquiera. A menudo, como la depresión es tan gradual y se considera algo prohibido en esa etapa "feliz", las mujeres no la notan o no admiten que se sienten deprimidas. Sus amigos, familia, y médico deben estar en capacidad de percibir los síntomas.

> *La depresión postparto fue horrible. Trabajo con gente que sufre de depresiones y esto me dio cierta idea de lo que experimentan. No reconocí esa sensación como depresión en un primer momento. Lloraba por algo que había en el álbum del bebé o por quién iba a devolver los libros a la biblioteca. Probablemente fue una cosa de unos cuantos días, pero me asusté porque no sabía cuánto iba a durar. Esos primeros meses fueron agotadores. Cuando volví a trabajar, a las ocho semanas, me sentí mejor, la rutina era menos agotadora que estar todo el día en casa con la bebita.*
>
> —JULIA

Hoy en día, las mujeres que sufren de desórdenes anímicos ya diagnosticados no se ven obligadas a escoger entre el tratamiento y el embarazo y la seguridad del feto. A nivel histórico, ha habido mucha preocupación alrededor del uso de medicamentos antidepresivos durante el embarazo, a pesar de que no se los ha relacionado con anormalidades fetales. La tendencia actual del tratamiento de los desórdenes anímicos se concentra en el posible impacto que podría tener la condición psiquiátrica de la madre sobre el feto o el niño. De manera que si usted tiene antecedentes de este tipo de desórdenes, consulte con su psiquiatra y con su ginecólogo antes de decidirse a quedar embarazada, o hágalo tan pronto como sepa que está embarazada, si es que no lo ha hecho antes.

¿Me sentiré fuera de control?

Si usted es una de esas personas a las que les gusta tener todo bajo control, el embarazo es un buen entrenamiento para lo que le aguarda el resto de la vida. Es el momento de aflojar las riendas un poco: no va a poder controlar las patadas del bebé en medio de la noche, las hemorroides o las venas varicosas, la pesadez en los senos, el dolor de espalda o la falta de sueño. No podrá controlar a toda la gente que siente que su barriga de embarazada es propiedad comunal y se la tocan o acarician, o que el proceso que toma cuarenta semanas a veces parezca de cuarenta años. La impaciencia, un rasgo común entre las embarazadas, es un indicio de que uno quiere tener ese control y quiere acabar con todo de una vez. "Ahora, tengamos el bebé", puede uno decirle a su cuerpo en el noveno mes, pero el bebé nace cuando quiere, no antes ni después. Y ése es sólo el comienzo de una aventura, un mundo como ningún otro, donde este otro ser humano determina su propio destino, y también el nuestro, la mayor parte del tiempo y el control es apenas una ilusión.

Cuando uno está dándole pecho al niño, de verdad quisiera hacer algo más que mirarse el seno. Es una actividad muy competitiva… me miro el pecho y digo "más rápido, rápido". Es muy frustrante.

—ISABELA

Por ser una profesional, de verdad puedo hacer varias cosas a la vez. Me fue muy difícil sentarme a disfrutar de mi bebé, así nada más, y darle de comer y gozar de ese momento. Sentí que era algo que consumía mucho tiempo y que debería estar haciendo algo más. En esas primeras semanas, cuando tenía suerte, podía darme una ducha. Pero ya me adapté... ¡ella tiene el control!

—LUISA

¿Hay retos especiales para las madres lesbianas?

Las parejas de lesbianas que deciden tener un bebé se enfrentan a muchas de estas emociones, y también a otras. Mientras la madre se adapta a cambios hormonales y anímicos, puede ser que también encuentre resistencia de parte de los médicos y reacciones muy poco amables de parte de su familia y sus amigos no homosexuales.

Ése es el momento en que tendrá que ser más firme y enérgica que nunca con respecto a sus necesidades y, si tiene pareja, ésta tendrá que brindarle todo su apoyo. Entrevístese con su médico antes de empezar el proceso de embarazo, para asegurarse de que la apoyará por completo. Un médico o partera sensible también tendrá el cuidado de alertar al personal del hospital sobre sus necesidades y las de su pareja durante el trabajo de parto y el parto mismo. El apoyo de la familia es maravilloso en ese momento, pero si no se cuenta con él, es recomendable limitar el contacto con los miembros que no están dispuestos a ayudar ni a compartir su alegría.

El hospital donde di a luz tenía un pase especial para permitirles a los maridos el acceso al ala de maternidad en cualquier momento. Al principio no quisieron darle uno de esos pases a Kathy, para que pudiera entrar a verme. Fue asunto de insistir y finalmente consiguió uno. Luego, una de las enfermeras se encargó de que sólo aquéllas que fueran amables con nosotras vinieran a ocuparse de mí y el bebé. Eso ayudó mucho.

—CLARISSA

5

¿Qué efectos tendra la crianza sobre mi salud?

Se ha escrito mucho sobre la salud femenina antes del embarazo y durante éste, pero es casi imposible encontrar información sobre lo que sucede con la salud física y mental de la mujer mientras cría y educa a sus hijos. Luego de tener un bebé, el estado de salud de la madre, que había sido preocupación esencial de amigos, familia y de su médico, pasa a ser invisible y todos pasan a fijarse más bien en la salud y bienestar del bebé.

Sólo desde hace poco, tras una serie de prominentes casos de madres que mataron a sus hijos, los medios y los médicos y demás profesionales de la salud han empezado a concentrarse en la salud mental de la mujer después del embarazo. Hay más aspectos importantes en la salud mental y física de la madre que la depresión postparto y la cicatrización de las episiotomías. A muchas mujeres se les abre el corazón a grandes posibilidades y descubren su propia fortaleza, su tenacidad y su capacidad de aprender. También se enfrentan a grandes cambios físicos y situaciones que requieren una adaptación pronta, especialmente en los primeros años.

¿Debo darle pecho al niño?

Así como tener un bebé en la casa puede ser emocionante, los primeros años de la crianza también pueden resultar traumáticos para el cuerpo de la mujer. Primero, se enfrenta, si así lo decide, con el reto de la
lactancia. Y con esta decisión también se ve ante el desafío de escoger
entre las montañas de recomendaciones inconsistentes que recibe, con
pasión y convicción, de una buena cantidad de fuentes.

*El pediatra me presionaba bastante con lo de la leche
materna. La enfermera que contratamos me hacía sentir muy
mal porque no me salía leche. El bebé lloraba. Debí hacer
caso omiso de todo eso, pero sentía tal presión del pediatra…
la enfermera y todo el mundo me decía "tienes que seguir
intentando". En retrospectiva, he debido parar ahí, pero no
sabía cómo. Todos se disgustaron conmigo cuando empecé a
darle leche formulada a la bebita, pero por lo menos así
estaba alimentándose y se sentía mejor. Fueron cuatro
semanas absolutamente infernales.*

—ROBERTA

*Me costó mucho trabajo darle pecho. Era algo que yo ya
había decidido y me abrumaba pensar que no iba a ser capaz
de hacerlo. Mucha gente me decía "Dale biberón, no eres un
fracaso", pero no quería hacerlo. Encontré una asesora de
lactancia y pasé cuatro semanas aprendiendo. Cuando miro*

*hacia atrás, me doy cuenta de que estaba de verdad
comprometida.*

—BRENDA

*Una vez que mandé al diablo todas las reglas y le di pecho al
bebé cuando él lo necesitaba, me lo llevé a mi cama, lo alcé
cuando quería, se volvió más fácil y más satisfactorio. Darle
pecho fue bueno para mí y para el bebé y mucho menos
costoso que la leche formulada.*

—DOLORES

A pesar de que afirmen que la mejor manera de alimentar a un bebé recién nacido es amamantarlo, sólo será la mejor manera de hacerlo si es satisfactorio para ambos: madre y bebé. Las mujeres que tienen dificultades y problemas con la lactancia deben pasarse al biberón, si lo necesitan, sin sentirse culpables.

¿Podré dormir lo suficiente?

Son pocas las madres que no han tenido problemas por la falta de sueño durante los primeros años de sus hijos. Los estudiantes universitarios y los trabajadores que hacen doble turno saben bien lo que una noche sin sueño le produce a las habilidades motoras, a la memoria y a la concentración. Ahora, multipliquemos eso por treinta, o por noventa, por lo primeros meses de vida de un recién nacido.

Ocasionalmente hay bebés que pasan la noche sin despertarse, pero no son la mayoría. Los padres de recién nacidos por lo general tienen que soportar noches sin poder dormir y días en medio de una niebla de somnolencia. Con frecuencia tratan de apegarse a la rutina que seguían antes de la llegada del bebé, pues creen que deberían ser capaces de manejarla. Pero la falta de sueño puede producir los mismos efectos peligrosos que el estado de embriaguez: afecta la concentración y la motricidad necesarias para conducir, para operar maquinaria pesada y utilizar instrumentos cortantes. También hace que mucha gente se vuelva irritable, lo cual lleva a ataques de frustración o ira y también a depresiones.

Estuve tan exhausta durante tanto tiempo que me sentía
totalmente derrotada. Luego de mi segundo hijo, reduje mis
horas de trabajo y cerré un negocio que tenía.

—ELISA

Me acuerdo de que pensaba que mi bebé nunca llegaría a la
edad de llevarlo a donde el médico a un chequeo para ver

qué era lo que yo estaba haciendo mal. Estaba cansada todo el tiempo, en pie toda la noche, deprimida.

—ROXANA

Dejé que mi cuerpo se fuera adaptando durante el embarazo. Tenerse que levantar en medio de la noche al baño no es muy diferente a levantarse a cambiarle el pañal o darle de comer al bebé.

—DOLORES

Con el tiempo, casi todos los bebés sanos aprenden a dormir la noche entera de un tirón, lo que les permite a los adultos volver a un horario de trabajo normal y a una rutina diaria razonable.

Mi esposo sale a trabajar normalmente a las 4:00 p.m. y vuelve a casa hacia la medianoche. Se levanta a las 6:00 a.m., así que pasamos la mañana juntos. Cuando se va al trabajo no tenemos mucho tiempo para disfrutar juntos, pero tiene los domingos y los lunes libres, así que tratamos de guardar los domingos para nosotros nada más. No lo hemos intentado aún, pero queremos apartar una noche para salir, así no hagamos más que ir juntos a montar en bicicleta un par de horas.

—MELISSA

Los padres pueden volverse extremadamente recursivos para evitar dormir poco. La clave está en tratar de que ambos no estén despiertos a medianoche, de manera que por lo menos uno tenga la energía suficiente para seguir con la rutina diaria. Algunas parejas instalan una cama en el cuarto del bebé, otras se distribuyen la alimentación de manera que cada uno de los padres quede con un período de sueño ininterrumpido de una longitud razonable y hay otras que piden la ayuda de otros miembros de familia para el turno de la noche.

¿Seré capaz de manejar el estrés?

No sorprende que haya una proporción alta de problemas mentales entre las madres de niños menores de cinco años, pues son estas mujeres las que viven bajo la presión de ser la mamá perfecta y luchan contra el mundo entero para demostrar que pueden mantener todo bajo control, así que no les prestan atención a sus problemas. Sus parejas por lo general también están tratando de recuperar cierto equilibrio, así que bien puede ser que no noten que la nueva mamá está tensa y sufre. Esta tensión puede provocar depresión, ansiedad, violencia doméstica, maltrato infantil y más. En los casos más extremos, los médicos y los seres queridos que no reconocen los síntomas de este estrés o que no les prestan atención, pueden tener que presenciar la desaparición de una madre, o de sus hijos.

Pero la mayoría de nosotras no somos casos extremos. El estrés tiene muchos grados, viene de todas las direcciones y se manifiesta de muchas formas. En parte, el estrés se puede atribuir al cambio repentino en la rutina diaria, a la llegada de un bebé que llora en la casa, al desorden del espacio vital, o al flujo constante de conocidos que vienen a presentar sus respetos. Algunas mujeres se apoyan en sus parejas y otras acuden a personas externas. Y siempre quedan las manidas recomendaciones para acabar con el estrés y la tensión: sueño y ejercicio.

Hago el esfuerzo consciente de mandar a mi hija a la cama a las ocho. Y yo trato de acostarme a las diez, así que tengo un par de horas para mí misma. Cuando el trabajo está pesado,

tengo que dedicar esas horas a hacer papeleos. A veces tengo
niñera. Desde el punto de vista económico, es duro. Y mis
padres a veces se la llevan una noche a su casa. Mi madre
está tratando de venir casi todos los lunes, a pesar de que no
trabajo, y pasar aquí unas cinco horas para que yo pueda ir
al gimnasio o hacer mis cosas, lo que me ayuda mucho.

—SARA

Es absolutamente increíble, y uno no se arrepiente, pero se
necesita ayuda: un buen sistema de apoyo es vital.

—ROSA

¿Podré alzar lo que necesite alzar?

Así como hay mujeres que sufren de dolor de espalda desde el embarazo o de problemas musculares u óseos por partos difíciles, hay un grupo adicional que padece problemas de espalda a largo plazo luego de que el bebé nace. Primero que todo, a menudo la espalda no está preparada para el esfuerzo que exige el peso en los senos por la leche y que causa dolor en el cuello y la parte superior de la espalda. Al mismo tiempo, la espalda también soporta el nuevo peso de alzar y cargar al bebé.

A medida que el bebé crece, la parte baja de la espalda empieza a verse afectada por el abuso, cuando la mamá se mueve con la pañalera y el bebé, cuando se agacha sobre el asiento trasero del auto para alcanzar la silla del bebé, o cuando dobla el coche y lo levanta para meterlo en el baúl del auto con una sola mano mientras con la otra sostiene al bebé. Aprender a alzar al bebé y todo lo demás de una manera adecuada y cuidadosa, así como hacer estiramiento para evitar calambres, puede ayudar a aliviar el dolor.

> *¡Jamás había tenido un dolor de espalda semejante! Había días en que sólo podía andar a pasitos mínimos, que tenía que ir al baño gateando y que no era capaz de alzar a mi niña. ¡No hacía sino soñar con que aprendiera a caminar lo más pronto posible! Fue un momento duro y desde entonces sólo he tenido problemas de espalda muy de vez en cuando.*
>
> —DARLA

¿La maternidad será provechosa para mi salud mental?

En esos primeros años, las mamás, y también los papás, llegan a disfrutar de una perspectiva nueva del mundo. Han hecho la transición hacia una etapa de desarrollo que los lleva más allá de sus propias necesidades para pasar a ocuparse de las de otro ser. Es necesario anticiparse a las necesidades de alguien que no las puede expresar. A veces, a medida que los hijos crecen, uno gana una nueva apreciación del ejemplo en que se está convirtiendo y les presta una atención minuciosa a su forma de hablar y a sus actos.

Algunos padres ven un motivo de euforia en este nuevo papel. Se los oye hablar del tema o se los lee en internet, y se emocionan con el logro más reciente de su bebé y con su propia capacidad para tener impacto en un ser tan pequeño. Puede ser algo muy estimulante y forma buena parte del atractivo de la maternidad para muchas mujeres.

Creo que me siento necesaria y amada. He madurado mucho en los últimos diez años y tengo una idea completamente diferente de la vida, una que me resulta mucho más saludable y satisfactoria.

—ERICA

Ahora soy una persona mucho más agradable y amable. Me siento plena como mamá cuando veo a mi hijo sonreír, aprender algo nuevo o superar una etapa.

—TINA

¿Y qué sucede si tengo un bebé discapacitado?

Otra sorpresa a la cual los futuros padres deben enfrentarse es la posibilidad de que su bebé nazca con discapacidades, o que las desarrolle. Por ejemplo, mientras más años tengan los padres, hay mayores probabilidades de que el bebé sufra defectos en los cromosomas. Lo mismo sucede en familias con riesgo de defectos genéticos.

Las mamás, que son las que por lo general asumen las mayores responsabilidades en el cuidado de un hijo discapacitado, deben apartar algo de tiempo para sí mismas y deben cuidar su salud. El estrés, la falta de sueño y los dolores de espalda son problemas de salud frecuentes en todas las madres y, en el caso de la madre de un niño discapacitado, pueden magnificarse. En una situación semejante, la madre tendrá que aprender a dejar que su pareja se haga cargo de las tareas, deberá confiar en sus familiares para cuidar al niño una tarde, por ejemplo, o buscar un profesional que la ayude y la libere un poco para que pueda descansar.

La niña se enfermó a los dos meses. Resultó ser un mal poco común de los huesos, osteopetrosis. Tanto mi mamá como mi madrastra y mi papá y mi padrastro me han ayudado y acompañado. Rezo mucho. Hablo con mis amigos, mi familia, mi novio y me libero de mis frustraciones. Una enfermera me ayuda y me da un respiro. Se lleva a la niña los martes en la noche y a veces se hace cargo de ella toda la noche. Sus profesores vienen a casa regularmente (además los ve en la escuela). Y también está la terapeuta musical, los médicos y otras familias en el hospital... siempre nos hemos apoyado y ayudado unos a otros.

—LILIANA

Los padres de niños discapacitados terminan haciendo malabarismos entre la absorbente relación con los médicos, con las instituciones públicas y privadas, con los organismos educativos y su situación económica, además del resto de la rutina diaria. ¿Cómo se sentiría si le dieran la noticia de que su hijo tiene dificultades especiales? ¿Tiene la fortaleza, la seguridad y el deseo de ocuparse de las necesidades de ese niño? ¿Cómo se sentirá de saber que su salud o su configuración genética es la causa de las discapacidades de su niño?

A pesar de la sensación de fracaso y remordimiento que tengo por haber traído al mundo una vida que va a tener que enfrentarse a tantos retos, creo que pasar por todas estas experiencias con los dos niños me ha vuelto más fuerte.

—MARGARET

Trabajo con niños discapacitados, y cuando quedé embarazada, a los cuarenta y dos años, estaba trabajando en una unidad de cuidados intensivos para neonatos, donde estaba expuesta a bebés con problemas. Me sentí algo ansiosa con todo el asunto. Pero lo que más me preocupaba a mi edad era el riesgo de anormalidades en los cromosomas. Les conté de mi embarazo a muy pocas personas hasta que me hice la amniocentesis. Creo que habría interrumpido el embarazo si hubiera detectado algún problema. Es que a veces uno no sabe, y yo estaba muy nerviosa.

—ALICE

6

¿Cómo afecta tener hijos la relación de pareja?

Las relaciones románticas se construyen sobre la base de muchas interacciones personales y casi todas las relaciones, en un nivel u otro, requieren del arte de la negociación. Dos personas que se atraen mutuamente pueden negociar aspectos como a dónde ir o si van a pasar la noche juntos. Pero la decisión de traer un bebé a la relación puede ser la negociación más desafiante por la que atraviese una pareja.

Y las negociaciones no terminan al concertar el asunto de tener hijos o no, adoptarlos o seguir un tratamiento de fertilidad. De hecho, apenas empiezan en ese punto. A cada paso del camino, la pareja tendrá que revaluar su relación con el niño. Puede empezar en el embarazo al discutir quién se hará cargo del cuidado básico. Y luego puede pasar a la discusión de cuál es el mejor método para disciplinar al niño, cómo será la educación religiosa, la visión de mundo, hasta llegar a si al muchacho ya se le pueden entregar las llaves del automóvil. Este tipo de discusión puede fortalecer una relación de maneras que uno jamás hubiera imaginado, pero también puede generar tensiones que uno nunca hubiera esperado.

¿Cómo afecta tener hijos la relación de pareja?

¿Cómo hablamos de tener hijos?

En todas las negociaciones es importante dejar en claro las necesidades propias, escuchar cuidadosamente, estar preparada para cambios en las posturas iniciales, y aceptar las soluciones. Las parejas que ven cada ronda de negociaciones como un esfuerzo de equipo, que tienen los mismos objetivos en mente, pueden llegar a ser compañeros muy exitosos en el amor, en la vida y en ser padres (si deciden serlo).

Las mujeres optan por diferentes momentos para traer a colación el tema de los hijos con su pareja, o con su posible pareja. Por lo general, esta conversación se da en la fase en que están empezando a salir juntos, pero a veces, aunque resulte extraño, no se trae a colación sino mucho después.

> *Él siempre bromeaba y decía que yo cambiaría de idea con respecto a tener hijos, pero nunca expresó claramente un interés real. A los seis meses de que me tuvieron que hacer una histerectomía, me dejó. Ahora tiene dos hijos. Ojalá hubiera sido más franco desde un principio.*
>
> —VICKY

A medida que las mujeres que quieren hijos se van haciendo mayores, hablan del tema en etapas más tempranas de la relación, pues no le ven sentido a perder su tiempo con alguien que no quiere lo mismo que ellas.

Tan pronto conocí a Gary ya estaba preguntándole si quería tener un bebé. Lo conocí cuando tenía treinta y cuatro. Yo ya había escogido a un experto en fertilización in vitro como mi ginecólogo, porque sabía que se me acercaba el momento. ¡Estaba mirando al futuro!

—MARCY

Las mujeres más jóvenes que entrevistamos en general habían aplazado esa conversación, bien fuera porque confiaban en ciertas suposiciones (es mejor no mostrarse muy interesada) o porque les asustaba tocar el tema.

Jamás hablamos de eso antes de casarnos. Tuve que metérselo en la cabeza. Si íbamos a hacerlo, tenía que ser en ese momento. Yo sabía que él no tenía problemas al respecto, sino que estaba nervioso; la decisión le iba a cambiar la vida y yo sabía que le encantaría. Y una vez que dijo que estaba de acuerdo, fue una maravilla. Estuvo emocionado con el embarazo; estuvo conmigo al ciento por ciento. Si hubiera dicho que no, de alguna manera habría lidiado con el asunto, porque así soy yo.

—MAGDA

A las mujeres se les inculca que deben complacer a los demás. Si usted logra dejar de lado lo que otra gente quiere y toma la decisión basándose en sus propias necesidades y deseos, es probable que pueda construir un fundamento mucho más firme para su relación. Compartir la vida con la persona que uno ama implica una serie de compromisos que pueden llevar a aplazar las metas propias por un tiempo para apoyar las metas del otro. Pero en el caso de la maternidad, el compromiso puede ser peligroso. Tener hijos es una tarea de 24 horas al día, una alternativa de todo o nada que puede destruir un matrimonio si no se la toma en serio.

Me había dicho que quería tener una parejita de niños, y a mí no me hubiera importado no tenerlos, pero él quería, así que lo hice por darle gusto. Pasé mucho tiempo deprimida.

*Cuando quedé esperando al tercero, no lo quería, no
importaba qué o cómo fuera. Luego, al mayor le dio diabetes.
Y yo tampoco había querido al segundo. Vivíamos en un
apartamento diminuto. Todo lo que teníamos era ordinario.
Lo último que necesitábamos era otro bebé.*

—CATHY

*Ya no tenemos el mismo tipo de tiempo juntos que teníamos
antes de que naciera la niña, pero tenemos la idea común de
que eso era parte del trato.*

—REBECCA

¿Podremos oírnos el uno al otro?

Escuchar al otro es tan importante como expresar lo que uno necesita. Es una destreza que requiere tiempo, experiencia y un desarrollo consciente. Va más allá de simplemente oír lo que una persona dice, para entender lo que en realidad quiere decir y, en la mayoría de los casos, comprender lo que *no* dice. Es observar lo que el otro hace con la información que uno le proporciona.

> *Cuando surgió el tema de los niños, él nunca dijo claramente si quería tenerlos o no. Sólo decía "espera a ver". Parecía no disfrutar mucho cuando estaba con niños. Nunca hablaba de su infancia. Tras unos años de tratar de hablar del asunto con él, me di cuenta de que aunque no lo iba a decir directamente, no quería tener hijos.*
>
> —NINA

Las personas que saben negociar también saben escuchar, lo cual con frecuencia implica hacer preguntas de "seguimiento" o repetir lo que la otra persona acaba de decir para entender plenamente lo que quiere dar a entender. Las parejas pueden evitar muchos malentendidos si desarrollan esta habilidad. Al principio puede parecer muy complicado, como aprender a conducir un automóvil, pero con el tiempo uno lo hace sin siquiera pensar y el camino parece mucho más fácil.

¿Qué sucede si cambiamos de idea?

El progreso profesional, la vida social, una relación romántica particular, la edad o la muerte de un padre, y para algunos hijos adoptados el descubrimiento de sus padres biológicos, son algunos de los sucesos que alteran la vida y que pueden modificar la perspectiva de tener hijos o no.

> *Por lo general estamos satisfechos con la decisión de no haber tenido hijos. Sin embargo, mi esposo perdió a su padre el año pasado, y a veces se siente triste cuando piensa en el hijo que no tuvo.*
>
> —ALEXANDRA

Por otro lado, se da la situación de que uno de los dos está listo para comprometerse con la relación, pero no todavía para tener hijos.

> *Siempre dije que quería tener por lo menos dos hijos. Mi compañero tiene un niño de una relación anterior y no estaba muy seguro de querer pasar por eso de nuevo. Aunque no estábamos de acuerdo, yo tenía la idea de que él se abriría más a la perspectiva una vez que terminara de estudiar y consiguiera un trabajo estable. Poco a poco fue llegando a ese punto. Yo no quería seguir con la relación si él no estaba dispuesto a hablar más sobre el tema. Si hubiera estado decidido por completo a no tener hijos, yo habría tenido que dejarlo.*
>
> —SALLY

A veces no hay un hecho aislado que produzca el cambio de idea. La mayoría de las relaciones a largo plazo se establecen sobre la base de un conjunto de expectativas. Si sólo uno de los dos experimenta un cambio de ideas, la relación tendrá que ajustarse. Por ejemplo, si uno llega a la conclusión de que quiere hijos y el otro no, puede ser útil hablar del tema o buscar ayuda profesional. En buena parte de los casos, el terreno común que uno encuentra en tantos otros aspectos es también el que encontrará con respecto a los hijos.

> *Él quería tener hijos, y creo que todo este problema de*
> *fertilidad ha sido una decepción enorme para él. Pero de vez*
> *en cuando me mira y dice: "Me alegra no tener hijos". La*
> *parte difícil fue ese período en que tratamos de quedar*
> *esperando y no luego, cuando decidimos construir una vida*
> *sin hijos. Ahí fue cuando pudimos dejar de preocuparnos.*
>
> —JULIA

> *Durante esa época, nuestra vida siguió adelante. Vivimos*
> *bien agradablemente y tenemos buenos amigos. Por unos*
> *meses empecé a pensar en lo maravillosa que era mi vida y*
> *en cuánto me gustaba y en lo mucho que tendría que*
> *cambiar si tuviera un bebé. ¿De verdad quería cambiar todo*
> *tan radicalmente si estaba tan a gusto? Habíamos estado*
> *pensando en tantas otras cosas que se nos olvidaba la razón*
> *principal para hacerlo. Pensamos en todos los "cómos" pero*
> *se nos olvidó el "por qué".*
>
> —TERESA

¿Qué pasa si no logramos ponernos de acuerdo con respecto a tener hijos?

Si los dos miembros de una pareja se llegan a encontrar en bandos opuestos de la negociación en cuanto a tener hijos durante un período prolongado de tiempo, y si el otro no muestra respeto o no escucha las opiniones ajenas, o simplemente no está dispuesto a llegar a un acuerdo, entonces es probable que convenga reconsiderar la relación.

Él era mucho mayor que yo. Solía decir que sabía que algún día yo querría tener hijos, aunque yo le repetía que jamás había sentido el deseo de tenerlos. Era como si no lo pudiera creer o como si no me oyera. Ofrecí suspender la boda, pero él dijo que era imposible pues ya se habían enviado las invitaciones. Suena muy tonto ahora, pero dejé que esa fuera la excusa para seguir adelante, a pesar de que estábamos condenados a fracasar desde el principio.

—PENNY

Él no quería que tuviéramos hijos, así que yo tenía miedo de que mi embarazo lo alejara (lo cual efectivamente pasó). Hablamos de abortar, pero él se oponía firmemente. También pensé que comenzar nuestro matrimonio con un aborto sería un mal principio. A pesar de lo mucho que discutimos no logramos un acuerdo mutuo, o un arreglo. Finalmente él cedió.

—MARÍA JOSÉ

La discusión sobre tener hijos, al igual que el hecho mismo de tenerlos, puede sacar a flote diferencias entre los miembros de una pareja, incluso ciertas dinámicas inquietantes sobre la forma en que se relacionan uno con otro. Es un buen momento para ponerle atención a su instinto, dejando de lado la conveniencia de esa relación específica o el tiempo y la energía que ha invertido en ella, y pensar seriamente si puede prolongarla hacia el futuro indefinidamente. Conviene evaluar con cuidado el tipo de compromiso que están haciendo uno y otro. Si el asunto de los hijos está sin decidir, es aconsejable que se abstenga de involucrarse en un compromiso de por vida hasta que vea si uno u otro cambia de actitud.

¿Qué sucede si no logramos quedar esperando?

Las aspiraciones y expectativas de una pareja pueden verse devastadas cuando se empieza a sospechar que concebir un bebé puede no ser tan fácil como se había pensado. Las tensiones empiezan a aumentar y uno puede desesperarse por los rigores del coito con calendario establecido. Su pareja puede empezar a sentirse impotente, tanto en sentido literal como figurado. Ambos pueden sufrir de un descenso en la autoestima, que bien puede llevar hasta la desesperación.

Aunque parezca increíble, todavía en la actualidad hay médicos y mucha gente que asumen que la infertilidad es provocada por algún problema de la mujer, cuando, de hecho, en un 40 por ciento de las parejas el problema está en el hombre. Es menos común hoy en día, pero de vez en cuando las mujeres pasan por minuciosos exámenes de fertilidad, incluyendo laparoscopias, mientras que los hombres, sus parejas, ni siquiera se someten a un conteo de espermatozoides. Siempre debe pedirle a su médico que realice un conteo de este tipo antes de pasar a exámenes que impliquen procedimientos más invasivos para usted.

La infertilidad trae consigo un flujo de asuntos emocionales que la mayoría de las parejas escasamente puede manejar. Las siguientes son algunas de las maneras en que una pareja puede sobrellevar este descubrimiento, que con frecuencia es prolongado, caro y traumático:

- Reafirmar su amor, sexualidad y atracción mutua con frecuencia.
- Involucrarse en los tratamientos de fertilidad como un equipo, para evitar que uno de los dos se aleje y el asunto se convierta en proyecto de la mujer únicamente.

- Revaluar las metas que se tienen en la vida. A veces lo que no podemos conseguir se convierte en lo que más queremos. ¿Es posible que saber que no se puede tener un bebé, o por lo menos no fácilmente, haga que uno esté más decidido a tenerlo?
- Cuidado con las drogas. Muchas de las drogas que se administran en los tratamientos de fertilidad tienen efectos secundarios sobre el estado de ánimo de una mujer. Quienes sufran de desórdenes anímicos deben tener cuidado especial y poner en contacto a su médico y a su psiquiatra.
- Prepararse para una decepción. Tras invertir una fortuna en un intento de fertilización in vitro, una mujer puede quedar devastada al ver que su período menstrual continúa normalmente. Las parejas deben apoyarse entre sí y más aun durante esos momentos difíciles.
- Prepararse para la pérdida de intimidad que viene con el aumento de intervenciones para conseguir la fertilidad. La ciencia cosifica lo que muchos consideran un acto sagrado: el de crear vida. Las parejas que deciden acudir a la alta tecnología porque ansían tener un bebé, deben prepararse para el sondeo o tanteo de los médicos, que son necesarios por razones científicas. Muchas mujeres dicen haberse sentido humilladas durante el proceso y sufren una sensación de falta de control sobre su propio cuerpo.
- Decidir si concebir será una batalla pública o privada. Las parejas que deciden compartir sus problemas con su círculo de amigos más cercanos deben estar preparadas para que esos amigos pasen a estar íntimamente al tanto de los ciclos femeninos y que llamen cada mes a ver si a ella ya le llegó la regla.

Para algunos matrimonios es destructivo, pero a nosotros nos fortaleció. Probablemente tuvo un efecto negativo sobre el sexo. Tenerlo que hacer en un momento determinado y en una posición dada le quita toda la espontaneidad y la diversión. No nos hemos acabado de recuperar de todo eso, pero no sé si a la larga es lo normal cuando uno tiene un bebé, luego vuelve a trabajar y se engorda, le pasan los años y se afea.

—NIKKI

Yo tuve que ser muy franca y abierta durante el proceso de fertilización in vitro. En ese momento mi equipo de trabajo era muy unido y teníamos muchos litigios. Tuve que contarles en detalle porque, de lo contrario, hubieran pensado que tenía cáncer, con todas esas citas médicas. Así que tenía a siete personas en mi puerta todo el tiempo preguntando: "¿Cuántos óvulos? ¿Cuándo es la implantación?" Si no hubiéramos tenido suerte al primer intento, yo habría tenido que compartir todo el proceso con siete personas que no son amigas cercanas.

—TERESA

Pensamos en la fertilización in vitro, y alcancé a hacer la cita para iniciar el proceso. Me mandaron un cuestionario de veinte páginas que debía llenar antes de la cita. Me senté a llenarlo, muy emocionada, pero cuando llegué al final ya había decidido que no iba a pasar por el proceso. Estaba llorando y completamente agobiada. Había tantas preguntas que me parecían irrelevantes, como elaboradas por alguien muy quisquilloso. Si eso era lo que necesitaban saber para decidir si yo podía tener hijos o no, había algo en el mundo que no andaba nada bien.

—DÉBORA

Éste es un problema muy complejo. Si se encuentra luchando contra la infertilidad, le recomendamos consultar con expertos, no sólo desde el punto de vista médico, sino psicológico. Es importante consultar con un consejero.

¿Cómo nos repartimos las labores relacionadas con los hijos?

Las negociaciones entre los dos adultos continúan a medida que los futuros padres se empiezan a imaginar la vida con el bebé. Hay un ejercicio muy bueno, que además puede ser una manera de entender mejor a su pareja, y consiste en que cada uno tome una hoja de papel y escriba en ella quién cree que se encargará de llevar a cabo cada una de las actividades relacionadas con el bebé.

- ¿Quién se quedará en casa con el bebé y durante cuánto tiempo?
- ¿Cuál de los dos está dispuesto a que su carrera se interrumpa, se acabe o simplemente avance a paso más lento?
- ¿Quién va a llevar al bebé a donde el médico?
- ¿Quién va a llevar al bebé a la guardería y luego recogerlo?
- ¿Quién se quedará en casa si no hay niñera y el bebé se enferma?
- ¿Quién se va a levantar en la noche si el bebé llora?
- ¿Quién le va a cambiar los pañales?
- ¿Quién se encargará de que siempre haya pañales, leche y demás artículos para el bebé?
- ¿Quién se va a ocupar de arreglar encuentros con otros niños?
- ¿Quién va a hacer las averiguaciones para decidir a qué guardería, preescolar o cursos extracurriculares enviar al niño cuando se necesite?
- ¿Quién asumirá la responsabilidad de llevar la casa?
- ¿Quién va a preparar la comida del bebé?
- ¿Quién va a preparar la comida de los papás?

- ¿Quién va a lavar la ropa del bebé de manera que siempre tenga prendas limpias?
- ¿Quién va a hablar con los abuelos cuando sea necesario?

> *No puedo decir que haya disfrutado mucho de los primeros años de mis hijos. Mi esposo fue fabuloso y me ayudó mucho en esos tiempos. Fueron años lindos para él y disfrutó más de los niños cuando eran bebés que yo, pues me sentía consumida por ellos. Y luego, años más tarde, yo empecé a disfrutar más de los niños que él. Invertimos los papeles.*
>
> —ANITA

> *Empecé a sentir que tenía que cargar con más responsabilidades de las que me correspondían. Siempre era yo la que me levantaba en medio de la noche, porque él tenía que salir temprano a trabajar. Me tocó todo el trabajo sucio. Me hacía falta la compañía de adultos, y cuando él llegaba a la casa luego de la oficina, estaba cansado y quería encerrarse en su estudio y relajarse a solas. La mayor parte del tiempo me sentí como madre soltera.*
>
> —KARINA

Las parejas homosexuales deben afrontar además los retos relacionados con su estilo de vida diferente. Por ejemplo, los homosexuales se enfrentan a un acceso limitado a los servicios de adopción. Las lesbianas que acuden a la inseminación pueden verse en una fluctuación de roles cuando una o ambas deciden que quieren pasar por la experiencia del embarazo y el parto, y las negociaciones continúan mientras deciden quién será la que se hará cargo del bebé en primera instancia y durante cuánto tiempo.

> *Siempre quise tener hijos, pero Sandi nunca lo había pensado mucho. No teníamos idea de qué iría a hacer ella, de si quería hacer ese sacrificio. El primer año yo me sentía en la cuerda floja. El asunto no era si íbamos a compartir todo en partes iguales, sino si ella quería continuar con la relación*

o no. Ahora nos dividimos las actividades por competencias y
preferencias. Ambas trabajamos fuera de la casa, pero a mí
me gustan mucho los quehaceres domésticos tradicionales. Así
que ella acepta trabajos que no necesariamente le gustan, y
así estamos a mano.

—FRANNY

¿Podremos sobrevivir a todo el ajetreo?

La mayoría de las parejas que tratan de anticipar cómo será criar hijos no llegan mucho más allá de las prístinas imágenes de madres felices que llevan un coche con un bebé satisfecho, o padres orgullosos que le entregan el recién nacido dormido a unos abuelos aun más orgullosos, y las miradas fascinadas de los padres en algún café mientras ven a su chiquito dar sus primeros pasos.

La vida con un bebé está llena de momentos dichosos, inolvidables. Pero hay algo en el poder que un recién nacido detenta sobre sus padres que también resulta abrumador y agobiante. La vida con un recién nacido es como un campo de entrenamiento militar: uno se mete en él porque le encanta, pero representa un desafío a cada instante.

Al introducir un recién nacido a la casa, uno se acoge a una rutina en donde quien está al mando es mucho menos competente que uno. Esa personita manda sobre uno sin la menor consideración por las necesidades del otro, como sueño y alimento, y esa personita nunca, jamás, afloja su dominio. Un campo de entrenamiento está diseñado para moldear al recluta y producir un individuo que pueda funcionar de manera automática, sin pensar, ¡y eso es exactamente lo que hacen los bebés con sus padres!

Tenía tantos planes… haría álbumes de fotos, y también algo de trabajo mientras estaba en mi licencia de maternidad. Pero algo tan sencillo como enviar las notas de

agradecimiento me tomó una eternidad, y eso me molestó
mucho. Trato de hacer bien esas cosas.

—MARÍA

Quien se encarga del cuidado del bebé en primera instancia es el que sufre más los rigores de este campo de entrenamiento, mientras el que sigue trabajando tiene licencia para salir a la oficina. Lo bueno es que durante esta temporada de "entrenamiento" los dos miembros de la pareja no suelen derrumbarse al mismo tiempo. La otra buena noticia es que, con el tiempo, el bebé aprende a dormir toda la noche de un tirón, aprende a tomar pecho o biberón sin tanto problema e incluso a veces llega a dormir siestas programadas. Hasta entonces, es preferible que quien se encargue del cuidado del bebé se haga a la idea de que no tiene sentido predecir lo que va a pasar en el día y que más vale pasar el tiempo cuidando al bebé y descansando.

Mi esposo es totalmente moderno, pero de alguna manera, al
principio establecimos que yo sería la del turno de la noche,
incluso después de que empezamos a darle biberón a la niña.
Él tiene el sueño mucho más profundo. Hasta ahora, oírla
llorar siempre me despierta de inmediato. Y claro, él era el
que se tenía que levantar para ir a la oficina en la mañana,
así que yo debía ser la que estaba de guardia en la noche.
Pero después, de día, no podía dormir ni una siesta porque
sentía que tenía un millón de cosas que hacer.

—LISA

¿Cómo vamos a lidiar con el "querida, ¡ya llegué!"?

Durante los primeros meses de vida del bebé, el cónyuge que se haya encargado de seguir trabajando, a menudo vuelve a casa con cierta ansiedad por su pareja y su bebé. Llega a su casa y quizás ve a ese ser que ama, su pareja, exhausto, irritable, frustrado y le cuesta reconocerlo, y no tiene idea de cómo hacer que las cosas mejoren. (Si los nuevos padres no tienen cuidado, ese remordimiento de culpa puede traducirse a veces en cierta laxitud con la rutina del bebé, por ejemplo, manteniéndolo despierto hasta tarde para poder jugar con él, lo cual puede derivar en problemas posteriores con el comportamiento del niño.)

Con el bebé recién nacido, los dos padres estarán unidos por una causa común. Los dos estarán aprendiendo nuevas habilidades: cómo alzar al bebé, bañarlo, cambiarle los pañales. Y ambos se emocionarán con los cambios sutiles y el crecimiento repentino que ven en su hijo. Pero si uno de los dos sale a trabajar y el otro se queda en casa, la causa dejará de ser común. Tras cinco o seis semanas, la mayoría de las parejas sienten que los celos las empiezan a invadir. Es una sensación frecuente pero inesperada. El bebé (que estará empezando a responder ante el mundo que lo rodea) y cualquiera que sea el padre que se quede en casa, comparten experiencias que el otro, el que se va a trabajar, no.

Si la mamá es la que vuelve al trabajo y deja al papá al cuidado del bebé, esa sensación puede ser más dolorosa, pues ella sigue cargando con todas esas expectativas sociales relacionadas con la maternidad. El diálogo perpetuo continúa en su mente: "¿Cómo voy a ser una buena mamá si no estoy en casa con mi bebé?" Mientras tanto, el que se queda en casa estará pensando "ya, vete y descansa un poco de esto". Los celos **se** dan en ambas direcciones, y si uno los afronta directamente y con **rapidez**, la relación puede resultar fortalecida y la manera en que ambos manejan la nueva situación puede verse mejorada. Si se hace caso omiso **de** estos celos, pueden producir resentimiento y quizás lleguen a perjudicar la relación.

> *No sabemos de ninguna otra familia en la que sea la mamá la que trabaja y el papá el que cuida a los hijos, por eso creo que para nosotros las cosas son diferentes. Es como si estuviéramos escribiendo nuestro propio destino. Antes de que la niña naciera, yo cocinaba, limpiaba, lavaba, limpiaba el vómito del gato. Pero el arreglo que hicimos con respecto a la niña me dio una nueva perspectiva porque él se dedicó a ella por completo. Son compinches. En cierto momento ella no quería hacer nada conmigo, y fue horrible. Así que como pareja decidimos que ella debe pasar más tiempo conmigo y eso ha ayudado.*

> —ADRIANA

> *Aunque mi marido aseguraba que estaba muy comprometido con nuestra relación, cuando nació nuestro hijo ese compromiso se desvaneció. Estaba celoso de él, ya no me encontraba atractiva desde el punto de vista sexual y, en general, se comportaba como un bebé. Abusaba de mí en forma verbal y emocional y se negaba a buscar ayuda profesional.*

> —SANDRA

¿Habrá un momento para ajustarse a la realidad?

Poco después de la llegada del bebé, uno se da cuenta de qué tan bien se predijeron los papeles y rutinas de ambos padres alrededor del niño. Tal vez se pensó que el papá sería el que se levantaría en la noche si el bebé lloraba, pero como de repente se convirtió en alguien con sueño muy profundo, es la mamá la que tiene que levantarse. A lo mejor el que va al trabajo piensa que el que se queda en casa se encargará de la limpieza también, pero llegar a casa en la noche se vuelve una carrera de obstáculos entre juguetes del bebé, camas sin tender, zapatos dispersos, pañales y platos sucios.

Tan pronto como el bebé aprende a dormir toda la noche de un tirón, los padres pueden sentarse a revisar su lista de expectativas:

- ¿Cómo se sienten?
- ¿Ha resultando todo como lo planearon?
- ¿Están satisfechos con la rutina y las tareas que cada uno está realizando?
- ¿Necesitan hacer algunos ajustes para reducir el estrés de alguno de los dos?

Y esta es la oportunidad de jugársela cuando se da una mirada a la realidad. Si se toma el tiempo para entablar esta conversación y hacer los ajustes necesarios, aumentarán las probabilidades de que los dos puedan concentrarse en su hijo y en el otro de manera más alegre y satisfactoria. La crianza de un hijo se vuelve una vez más un proyecto en constante evolución para ambos, una manifestación constante de su amor.

Creo que había una cantidad de miedos. ¿Puedo hacer eso? ¿Cómo vamos a funcionar en equipo? ¿Compartiremos las tareas? En asuntos de trabajo compartimos sin problema, pero en casa somos bastante tradicionales. ¿Qué tanto iba a ayudar él en este proceso? ¿Cómo voy a hacerlo? ¿Me ayudará lo suficiente? Es un tira-y-afloja constante. No creo que haya muchos conflictos, pero sí tensión alrededor de quién se encargará de qué. ¿Quién lleva a los niños al colegio hoy?

—SARAH

Fue entre 1988 y 1989, y no hubo negociación. Lo hice. Yo me encargaría de los niños e iría a trabajar. Tenía que llevarlos a donde la niñera todos los días, y mi esposo no movía un dedo. ¡A pesar de que era él quien quería tener hijos! Yo me mordí la lengua. Toda la vida quise estar casada, pues se suponía que eso indicaba que uno era una buena persona o algo así.

—ELENA

David está de licencia de su trabajo y se encarga de casi todas las cosas de la casa ahora. Yo limpio y ordeno, pero es él quien lava pisos, cocina. Cuando vuelva a trabajar probablemente no comeremos tan bien y tendremos que depender de la cafetería de la esquina. Pero ninguno de los dos ve problemas en eso. Me imagino que cuando tenga al segundo bebé, me tomaré más tiempo libre que ahora, seguro.

—JACQUELINE

¿Y sentiremos ganas de hacer el amor?

El período postparto suele ser difícil para asuntos románticos. Además de los cambios físicos de los que ya hablamos, la mujer experimenta un cambio radical al pasar de amante y pareja a madre.

Mi relación cambió mucho más de lo que me imaginé. Pasé de sentirme una amante a ser la mamá, y no había nada más importante en el mundo que mi hija.

—JANET

Es fácil aburrirse cuando uno sabe que tiene que esperar a que el niño se duerma y después lo que viene es sexo. A veces siento que tengo que reprimir y anular mis impulsos hasta las 8 p.m. Ya no podemos hacer el amor cuando se nos despierta el deseo, y a veces sucede que después de un día largo y de tener que lidiar con el niño, lo único que quieres es relajarte y tener un rato para ti misma.

—MARÍA

La energía también es un factor que hay que tener en cuenta. Luego de sobrevivir a un día en el "campo de entrenamiento", el sexo parece apenas otra forma de ejercicio, y puede ser que la mamá no tenga la energía suficiente para hacerlo. Desde su punto de vista, esos preciosos momentos en que el bebé no está llorando, deben ser para dormir, ante todo.

Los hombres se enfrentan a un reto diferente. El padre acaba de ver (o de imaginar, si no estuvo en la sala de partos) cómo 3 ó 4 kilos de bebé pasaron por ese lugar donde él, hasta ahora, había experimentado sólo placer carnal. Por la noche, cuando él esté tratando de seducir a la madre, ella estará distraída con el menor rumor que venga del cuarto del bebé. El padre puede sentirse rechazado debido al cansancio, y también puede impacientarse durante el tiempo que toma sanar las heridas del parto. La probabilidad de que se sienta rechazado aumenta si la madre le dedica todo su tiempo y su energía al bebé. Es una nueva perspectiva, que puede aplastar la libido como si fuera una cucaracha o hacer que esa cucaracha se vaya a otro lado.

> *La parte romántica de nuestra relación no cambió mucho para mí, pero sí le permitió a mi esposo dedicarse a sus otros intereses románticos. Yo estaba dedicada a la crianza y eso me mantenía ocupada.*
>
> —BELINDA

Los patrones de comportamiento que los padres establecen durante el primer año por lo general persisten durante la etapa de crecimiento de los hijos. Si esos patrones son perjudiciales, provocarán problemas en la relación. Si son sanos, mejorarán la relación adulta a la vez que la relación entre padres e hijos.

¿Cuánto tiempo necesitaremos para nosotros?

Las parejas con niños tienen menos tiempo para pasar a solas, y cuando logran pasar un rato así, lo sienten más como una cita de trabajo, o de amor, en el mejor de los casos, y no como la vida en común por la cual se unieron.

La relación de adultos en el entorno de una familia requiere un cuidado muy especial: asignar una noche a la semana para los dos, planear una cena romántica, o programar el despertador más temprano para tener un rato a solas en la habitación. Las mujeres pueden percibir rápidamente el momento en que su pareja se está alejando, bien sea hacia otros intereses, o dejándose absorber más por el trabajo y su desempeño profesional. Y a veces es la mamá la que se queda en casa, con su nueva carrera de tiempo completo como madre y su recién descubierta experiencia con el bebé, quien se distancia de los intereses comunes que habían unido a la pareja. Si decide tener hijos, tendrá que dedicarle algo de tiempo de vez en cuando a renovar su propia relación, a tocar fondo con su pareja respecto a asuntos de adultos y a recordar cómo eran antes de convertirse en padres. Eso a menudo quiere decir limitar la conversación durante la cena a un breve informe de lo que el bebé hizo ese día, para luego pasar a averiguar cómo le fue al otro en el trabajo. No se trata de volver a los parámetros de temas de conversación de las parejas en los años cincuenta, sino que más bien apunta a ser un ejercicio importante que implica encontrar el tiempo para llevar una relación adulta, al equilibrar la conversación entre las noticias del bebé y otros intereses.

A medida que el niño crece, puede ser que los padres decidan tomarse unas vacaciones sin él, y eso no va a destruirlo, pero la pareja sí podría destruirse si no contempla esa posibilidad.

> *Cuando el menor entró a la escuela, tratamos de establecer terreno en común nuevamente, pero fue muy difícil.*
>
> —KARINA

> *Los niños se convierten en toda la relación. Tienen un efecto enorme. Cuando hablamos, el tema son los niños, o lo que tenemos que hacer con ellos, o a dónde los vamos a llevar. Nuestra vida gira alrededor de ellos. Mi esposo tiene mucha más libertad, pero siempre está en la casa a las seis, cuando yo llego, y así podemos ocuparnos de los niños juntos. Detesta tener que hacerse cargo de los niños solo, y yo también.*
>
> —CARLA

Antes de decidirse a tener hijos, las parejas deben considerar si están dispuestas a renunciar a esa exclusividad mutua que tienen, a ese tiempo que pasan a solas después del trabajo o los fines de semana, a la flexibilidad para planear las vacaciones y a otros momentos que ahora disfrutan.

> *Mi esposo decía que no había pensado mucho en el asunto, pero una vez que lo hablamos, se dio cuenta de que nunca había pensado en serio en tener hijos. Está satisfecho con la decisión de no tenerlos. Quería hacer otras cosas en la vida. Andamos por los cuarenta y tantos y practicamos ciclismo de montaña. No podríamos hacerlo con niños.*
>
> —LUZ

> *Mi tiempo, mi dedicación y mi atención pasaron de mi pareja a nuestro hijo. Pero también vi a mi esposo desde una nueva perspectiva, como padre amoroso, atento a las necesidades del niño. Eso me hizo querer y respetar a mi marido en un nivel nuevo, más profundo.*
>
> —DANA

¿Las pequeñeces se volverán "giganteces"?

Al llevar un bebé a la casa, se magnifica de repente el carácter de los dos adultos de la familia y el de su relación, como si se mirara con una lupa. Cualquier cosa que el uno haga y que pueda molestar al otro será diez veces más molesta una vez que llegue el bebé. No es culpa del bebé, ni del otro, sino que es una consecuencia natural de la falta de sueño y de las demás tensiones sobre la relación.

Desde el punto de vista positivo, la experiencia puede revelar fortalezas y cualidades del otro que uno desconocía, y puede ser que haga que el padre empiece a sentir un profundo respeto por su pareja al verla en su nuevo papel de madre. Desde el punto de vista negativo, la mayoría de las parejas no tienen posibilidades de predecir cuáles de sus rasgos individuales se van a convertir en obstáculos insuperables.

> *Yo no estaba preparada para ver hasta qué punto mi (ex) marido iba a empezar a parecerse a su padre, y para lo poco que me iba a ayudar, y para ver que no teníamos las mismas necesidades. Al principio lo solucionamos a punta de gritos, y decidimos que yo era el problema, y no dormíamos. Finalmente resolvimos separarnos.*
>
> —MARCIA

Las últimas estadísticas de divorcios entre parejas con hijos muestran que tener hijos no ayuda a mantener a las parejas unidas. Las divorciadas dan consejos claros y descarnados a las mujeres que están contemplando la idea de tener hijos.

133

Habla y habla y habla con tu pareja. Asegúrate de que tus
ideas respecto a la religión, al trabajo, al dinero y a los oficios
y deberes son similares. Si de verdad él no quiere ser papá,
tener un hijo con él no lo va a hacer cambiar de idea. Si
tomas esa ruta, prepárate para ser una madre soltera que
cría y educa a su hijo sola.

—LENA

Al contemplar la idea de la maternidad, conviene sopesar su capacidad, y la de su pareja, para dejar de lado las cosas que los sacan de quicio porque, aunque los hijos implican mucha diversión y alegría, la exasperación también hace parte de la experiencia.

Yo contaba los minutos que faltaban para que llegara a casa
a comer. Aunque él solía llegar tarde a todo, ahora todas las
noches yo miraba el reloj y sentía como si me estrujaran el
corazón. El bebé hacía alboroto. Y yo pensaba "no voy a ser
capaz de pasar por otra cena sola con el niño". Y luego él
llamaba, porque tenía que quedarse a trabajar hasta tarde.
Alguien había aparecido y tenía que quedarse, y me daban
ganas de gritar. A veces lo hice. ¿Por qué no podía llegar
temprano a casa ni una sola vez?

—KATY

Hablar, encontrar lo cómico en toda la situación y reírse un poco ayudan a la supervivencia de las parejas. En momentos de mayor seriedad, se pueden recordar uno a otro cuánto se quieren, las razones que los acercaron y los rasgos que cada uno admira en el otro.

Cada vez que sus papás venían a vernos, la madre traía
montañas de comida y el padre se ponía a arreglar algo en la
casa. Al principio pensé que era un insulto a mis habilidades
culinarias y a nuestras capacidades de mantener la casa en
buen estado, y me dolía mucho. Pero con el tiempo, cuando
mi marido me veía poner cara de molestia, me tomaba de la
mano y me llevaba hasta la puerta. Salíamos… a cine, a
caminar por el parque, a tomar un café. Era maravilloso.

—FLORA

¿Las cosas se irán haciendo más fáciles con el tiempo?

El período con el bebé recién nacido es quizás el más duro para las parejas, pero a medida que los niños crecen, presentan nuevos retos para ambos padres. Aquí hay algunos ejemplos:

BEBÉS

Como ya lo hemos dicho, durante esta etapa ambos padres tienen que adaptarse al hecho de tener a alguien en casa que requiere atención durante 24 horas al día. No es fácil, y es algo que dura más allá de los primeros meses.

> *Me sorprendió darme cuenta de la energía que requiere estar con un bebé 24 horas al día, 7 días a la semana.*
>
> —ANA

NIÑOS PEQUEÑOS

Esta etapa es una de las más emocionantes, ya que el niño empieza a parecer una personita de verdad y a comportarse como tal. La personalidad del niño empieza a brillar de forma maravillosa, pero también puede exigir toda la paciencia del mundo. En esta etapa los niños están aprendiendo a hacerse valer y los adultos deben ser consistentes en sus reac-

ciones. De nuevo, puede ser que haya que negociar asuntos relacionados con la disciplina, con la hora de acostarse y demás. Los niños nacen
con la capacidad para enfrentar al padre "permisivo" con el "estricto" y
viceversa. El simple hecho de mantenerse a la par con esa personita que
acaba de aprender a andar sola por el mundo puede dejarlo a uno convertido en una piltrafa.

> *Lo más gratificante de todo es verlos aprender. Uno les llena*
> *el cerebro con toda clase de cosas, y es increíble ver cómo lo*
> *absorben. Te miran como diciendo "¿Y qué más?" Siguen*
> *adelante, absorben algo nuevo, incluso si son palabrotas, y*
> *quieren más.*
>
> —PATTY

> *Hay que correr y correr y correr tras ellos. Detestaba cambiar*
> *pañales. Detestaba tener que cargar con un muchachito a*
> *donde iba. Así que decidí quedarme en casa. No quería salir*
> *a comer fuera porque el niño iba a armar un drama e igual*
> *tendríamos que irnos. Detestaba que mi hijo molestara a*
> *otras personas al sacarlo a un lugar público, así que luego de*
> *un tiempo no volví a salir.*
>
> —JUANA

> *Yo pensé que tenía toda la paciencia del mundo, pero me*
> *equivoqué. Mi hijo es una pesadilla. Es imposible*
> *maquillarme mientras lo cuido, por ejemplo. De repente*
> *agarra el labial y mancha la colcha. Y luego se hace tarde*
> *y... ¿dónde están las llaves? Yo siempre las pongo aquí... ah,*
> *ya. Se las di para que mordisqueara el llavero, porque le*
> *están empezando a salir los dientes y anda malhumorado.*
>
> —VERA

NIÑOS EN EDAD ESCOLAR

Hacia los cinco años los niños empiezan a aprender a ser responsables rápidamente, y cuando comienzan a ir a la escuela nos dan un respiro. Al mismo tiempo, los padres deben ponerse de acuerdo en cuanto a disciplina, asuntos religiosos, interpretaciones del comportamiento humano, buenos modales, cómo estimular los talentos del niño, cómo mantener la comunicación con la escuela, la búsqueda de expertos para colaborar con un niño con dificultades o discapacidades, en fin.

> *Esa edad es preciosa. Los niños son cooperadores, amorosos y piensan que uno es capaz hasta de caminar sobre el agua.*
>
> —VICKY

> *A medida que van creciendo, me necesitan más para ciertas actividades que antes. Eso ha sido una sorpresa. Pensé que con los años serían más independientes; ya pueden vestirse solos. Pero me necesitan mucho. Ayudo con el grupo de scouts, estoy en la junta de la escuela y eso les gusta a los niños y quieren que participe. Me necesitan y ya tienen la edad para decírmelo.*
>
> —MILENA

ADOLESCENCIA

Los muchachos en esta etapa requieren mucha más supervisión que los niños, cosa que suele sorprender a los padres. Al mismo tiempo, esta supervisión requiere de extrema sutileza. Al igual que sucede con los adultos, el estímulo, el respeto y la buena comunicación pueden hacer que la vida con un adolescente sea una experiencia positiva, mientras se fortalece la relación entre los padres y el hijo. La humillación, la vergüenza y los conflictos de poder con los adolescentes pueden perjudicar la relación y distanciarlos por completo.

Los adolescentes son aun más hábiles que los niños para enfrentar a los padres entre sí. Por eso, éstos necesitan tener una mejor comunicación que nunca. Puede ser que cada uno sea permisivo en diferentes grados y aspectos. Por ejemplo, que el uno deje que el muchacho llegue más tarde que el otro. Uno de los dos, o ambos, pueden revivir las decisiones que tomaron en ese momento de su vida y de las que luego se arrepintieron. Ahora es más importante que nunca presentarse como un frente unido, porque el potencial de riesgo y perjuicio es mucho mayor.

La capacidad de ambos para resolver problemas en conjunto saldrá a la superficie a medida que su muchacho adolescente trata de probarlos en cada uno de los límites impuestos.

A medida que mi hijo mayor fue creciendo, discutía mucho con mi marido, que parecía de otra época. Esperaba que el muchacho le obedeciera y que mantuviera una distancia jerárquica, que para mí resultaba muy rara y poco natural. Establecía ciertas leyes y luego desaparecía y era yo la que me quedaba en casa, trabajando, y se suponía que no debía dejarlos ver televisión. ¡No sabía qué hacer!

—CINDY

Podría jurar que durante esa etapa los marcianos secuestran a tus hijos y te los cambian por otros. Uno se levanta pensando: "¿Quiénes diablos son éstos?" Todo lo que pude hacer fue apuntalarme con firmeza, leer la Biblia, orar ¡y tratar de no matarlos!

—IVONNE

Es probable que uno reciba una buena cantidad de sorpresas, algunas maravillosas y otras increíblemente difíciles.

—JACQUELINE

Los vi llegar a la adolescencia y convertirse en personas desagradables y bruscas. Mi filosofía es "congelarlos a los doce y descongelarlos a los veinticinco", así uno no tendrá que soportar todo eso. Que pasen por esa etapa en estado de congelación.

—NATALIA

¿Y si el matrimonio se acaba?

Ninguna de las mujeres que lea este libro espera divorciarse, pero no hay que olvidarse de las estadísticas. Así como nadie se casa pensando en divorciarse, una de cada dos parejas en los Estados Unidos se divorcia.

A pesar de eso, planeamos nuestra vida como si eso nunca nos fuera a suceder, cosa que no está mal, hasta que efectivamente nos sucede. La mayoría de las parejas no hacen ningún acuerdo prenupcial, capitulaciones o separación de bienes, con lo que van en contra de las recomendaciones de casi todos los asesores financieros, y las mujeres con niños se arriesgan a terminar con ingresos menores que cuando se casaron.

Las mujeres que han pasado por la experiencia del divorcio dan un consejo recurrente: "Si te decides a tener hijos, hazlo sin dejar de lado la posibilidad de tenerlos que criar sola".

> *Yo no tenía la madurez necesaria para considerar el panorama total. "¿Qué pasa si sucede esto o lo otro?" No pensé las cosas bien, simplemente hice lo que tenía que hacer: escapar. Nunca tomé en cuenta si podría hacerme cargo de mis hijos yo sola. Si no, hubiera esperado a tener más habilidades y mejores condiciones económicas para sostenerlos.*
>
> —BRENDA

Es poco romántico y algo cínico, pero no está de más pensar en esa posibilidad. Tómese unos minutos para ponerse en la situación de una mujer que está atravesando por un divorcio y percátese de la diferencia entre una mujer que tiene hijos y una que no.

Una mujer sin hijos tendrá que dividir las cosas con su pareja. Tendrá que buscar un abogado que se encargue del proceso legal. Tendrá que buscar un nuevo sitio para vivir, a menos que sea su pareja quien se va, probablemente será más pequeño y menos costoso, no tendrá el doble ingreso de la pareja. Podrá mudarse a otra ciudad en busca de trabajo, si lo necesita. Y cuando el divorcio se da en malos términos y es definitivo, no tendrá que volver a ver a su ex.

Una mujer con hijos también tiene que dividir las cosas con su pareja, pero si él quiere seguir participando en la vida de sus hijos, hay cosas de ellos que tendrán que repartirse también. La mayoría de las mujeres que se divorcian, se quedan con los hijos, pero tienen un ingreso menor. El padre puede subvencionar a los niños o no, así que a la hora de contratar un abogado, éste deberá encargarse no sólo del divorcio sino también de los trámites para lograr la custodia y la pensión del padre. Los niños pertenecerán a ambas vidas, así que la mujer quedará en contacto permanente, para siempre, con el padre y con la manera cómo éste organiza su vida. Eso también puede significar confiarle los niños a una madrastra que puede no inspirarnos mucha confianza u ocuparse de la relación entre los niños y el ex. La relación entre los divorciados puede mantenerse en un tono amigable, que sería lo mejor, o puede girar en torno al odio y al resentimiento, lo que resulta difícil para todos los involucrados. Si sale de una relación pensando que no quiere volver a ver a su pareja, será imposible hacerlo si tiene hijos.

> *Alguien me dijo alguna vez que el propósito de la custodia conjunta, o de que lo niños repartan los días de la semana entre ambos padres, es que uno se acuerde de por qué terminó con esa relación. Hasta ahora, el dicho no me ha fallado.*
>
> —DORIS

Durante los primeros seis meses, los tres vivieron conmigo, en un ambiente de pobreza. Yo no tenía mucha capacitación ni trabajo. Su abogado le recomendó que no me diera nada de dinero. Los primeros cheques se demoraron meses en llegar, y yo no sabía hacer uso sensato del dinero. Tenía pánico de todo. Si los niños se iban a vivir con su papá, no tendría

tantas preocupaciones, pues estarían bien cuidados. No pensé
en su salud emocional. En diferentes momentos, la nueva
esposa de su papá perdía el control con uno u otro. Ése fue un
gran problema.

—BETTY

¿Las madrastras también son mamás?

Las mujeres que decidan casarse con hombres que tienen hijos de relaciones anteriores también están optando por volverse mamás. Si bien lo más posible es que los niños permanezcan con su madre biológica, la mayoría de los padres se involucran de manera activa en la vida de sus hijos luego del divorcio. Por lo general, esto quiere decir que los niños pasan una semana con su padre y una con su madre e implica llamadas todas las noches, fines de semana con los niños y habitaciones de la casa que sirven para el uso de los niños. Las complicaciones que acarrean los hijastros pueden ser múltiples, pero no nos vamos a ocupar de ellas aquí. Hay muchos libros que sirven como material de orientación y consulta y también se encuentra mucha información en internet.

Las mujeres que saben que no podrán tener hijos y a pesar de todo los desean, a menudo encuentran atractivos a los hombres con hijos. En estos casos, puede ser que las mujeres se decepcionen por el escaso tiempo que pueden pasar con los niños y el poco impacto que tienen sobre ellos, en especial si viven con la mamá.

Algunas mujeres que no han querido tener hijos pueden subestimar el hecho de que su nuevo interés amoroso venga en paquete completo, con niños incluidos. En este caso, es posible sentir que el tiempo y la energía que él les dedica a sus hijos es una intrusión en la relación. Y puede ser que los niños sean bruscos con la "novia" de su papá, ya que la mayoría de los niños desean secretamente que sus padres se reconcilien y consideran a las madrastras como un obstáculo para lograrlo.

*¡Mi hijastro es tan descontrolado! Lo han llevado a terapia y
a donde psiquiatras, le han dado medicamentos y luego lo
han tenido sin medicamentos. Yo le impongo límites, pero su
papá dice que soy muy dura. No escucha a los profesionales y
la mamá tampoco, y el niño anda como loco por todas partes.
No podemos pasar dos minutos a solas cuando estamos con él,
y cuando se va, quedo tan agotada que la verdad tampoco
tengo muchas ganas de ver al papá de la criatura.*

—ÁNGELA

Por último, las mujeres que pasan a ocupar el lugar de una madre
que murió, tienen un camino duro por delante. Una madrastra en estos
casos debe mostrarles a los niños que no pretende reemplazar a su mamá.
Como el viudo tiene la responsabilidad exclusiva de los niños, la mujer
por lo menos puede hacerse una idea clara de los retos a los que se enfrenta. Si está dispuesta a involucrarse en una relación semejante, debe
tener presente que los niños complican las cosas. Pueden enriquecer
muchísimo, pero también pueden exacerbar los problemas entre los adultos, que en otras condiciones hubieran parecido insignificantes.

*Al principio hubo momentos en los que pensé que nunca
llegaría a formar parte de la familia. Tienen unos recuerdos
tan lindos de su mamá y ¿qué puedo decir yo? Cuando se
ponían a hablar de ella, yo me quedaba callada. Ahora he
pasado a hacer preguntas, a mostrarme interesada, y eso los
lleva a hablar más. Parece que así vamos mejor.*

—AMANDA

7

¿La tribu estará ahí para ayudar?

Cuando Hillary Clinton era la Primera Dama de los Estados Unidos, hizo famoso un proverbio africano que reza: "Se necesita una tribu entera para criar a un niño". Lo usó como título de un libro en el cual planteaba la responsabilidad social que compartimos en la crianza y educación de todos los niños de la sociedad.

En sentido amplio, siempre hemos necesitado una tribu para criar a nuestros hijos. En la época preindustrial, las numerosas familias campesinas se ayudaban entre sí a criar a los niños, que crecían y se acoplaban rápidamente a las labores del campo. Esta costumbre se preservó en el sur de los Estados Unidos, y especialmente entre afroamericanos, donde buena parte de esa comunidad, o tribu, se reconstruye en las ciudades de hoy en día.

Actualmente estas "tribus" tienen muchas formas: ciudades, suburbios, comunidades rurales e incluso comunidades telefónicas o virtuales. Al tener hijos, usted se convertirá en miembro de una comunidad que representa una red amplia en la cual se puede apoyar si necesita ayuda. Si decide no tener hijos, también encontrará una comunidad, cada vez más grande, de solteros y parejas sin hijos.

¿La vida estará ahí
para ayudar?

¿Mis compañeras
me podrán ayudar?

Las mujeres que se preparan para el parto por lo general toman cursos en alguna clínica u hospital. Allí encuentran a otras mujeres que también se preguntan cuándo será que este frágil nuevo ser, fascinante y también frustrante, saldrá de su cuerpo. Todas comparten los mismos temores, anhelos, dichas y expectativas. Miran a su alrededor en el salón donde se da el curso y ya no se sienten tan solas. Además, esperan hacer unas cuantas amigas.

Desafortunadamente, estas mujeres pronto tendrán a sus bebés también, así que no podrán ir de visita o cuidar bebés ajenos. Sin embargo, es muy bueno poder hablar con ellas por teléfono y compadecerse mutuamente, para sentir que ninguna está sola.

> *Escasamente conocía a Kristy, pero me había dado su teléfono en el curso psicoprofiláctico y yo le di el mío. ¡Qué bueno que lo hicimos! Hablábamos por teléfono como amigas de toda la vida, de pañales, de cómo amamantar, de sexo, ¡de todo!*
>
> —CLAUDIA

Lo anterior no quiere decir que todas las mujeres que acaban de tener bebé desaparecen. Las madres que trabajan en casa por lo general tienen más tiempo y pueden ponerse en contacto con otras mamás del vecindario. Para las que trabajan fuera de casa, hay clases de yoga en las noches, por ejemplo, y muchos grupos de nuevas madres pueden reunirse al final del día también.

Si se aíslan, las nuevas madres pueden tener dificultades para hacer algo más que dormir una siesta y lavar los platos, pero en áreas urbanas, en hospitales y centros de salud, en centros religiosos y comunitarios, con frecuencia se reúnen grupos de apoyo para las nuevas mamás. El mayor problema es cómo enterarse de su existencia, pero una vez que uno lo sabe, puede encontrar allí a otras mujeres que tienen que lidiar con las mismas sensaciones de ineptitud, falta de control y falta de sueño que son comunes entre las mamás.

Si no puede salir pero tiene acceso a internet, puede encontrar apoyo, orientación y un lugar donde desahogar sus frustraciones en los diversos chats y grupos de opinión. Una vez que el bebé se duerme, la computadora se enciende, y a través de ella, miles y miles de mujeres se buscan para encontrar apoyo.

> *Al tener a mi bebé simplemente se me acabaron las amistades. No tenía tiempo para salir y socializar, pero conocí a mucha gente increíble a través de internet.*
>
> —SUSAN

148

¿Mis padres podrán darme una mano?

Por tradición, los abuelos de la tribu han desempeñado un papel fundamental en el cuidado de los niños, mientras que los adultos jóvenes se encargaban de las labores para conseguir, sembrar o preparar alimentos. Los adultos mayores siguen siendo una parte importante de la tribu de un niño, incluso en este mundo moderno tan diferente.

Las cifras de un censo reciente en los Estados Unidos mostraron que casi 5,8 millones de abuelos viven con sus nietos, y que de ésos un 42 por ciento son los encargados de cuidar a los niños y responder por ellos en primera instancia. La oficina de censos de los Estados Unidos calcula que el número de niños que viven en casa de sus abuelos ha venido creciendo en forma constante en los últimos treinta años.

> *Mi hija solía llevarse a su bebé adonde quiera que fuera, sin importar si volvía tarde por la noche. Todavía es muy joven, apenas tiene diecinueve, y no entiende que esa no es manera de que un bebé duerma como debe ser. Así que cuando volvió a vivir con nosotros, decidí hacerme cargo del bebé. Ahora ella sigue saliendo, pero el bebé se queda en casa, y yo lo baño y lo acuesto a una hora decente.*
>
> —YANIS

¿Cuándo entra en escena la niñera o la guardería?

En cosa de semanas o meses, muchas mamás deben volver a su trabajo. Incluso si deciden ser mamás de tiempo completo, van a necesitar un respiro del cuidado de los niños de vez en cuando.

En el momento en que surge esa necesidad, las niñeras, guarderías o centros preescolares se convierten en parte de la tribu. Ciertas guarderías ofrecen la posibilidad de que uno deje a su hijo sin tener que avisar con anticipación. Algunas dan la opción de dejar a los niños todo el día, o nada más después de que salen del kínder, y hay algunas que también ofrecen hacerse cargo de niños mayores, después de las horas de escuela. Esos programas ayudan a llenar el vacío que queda entre el final de la jornada escolar y la hora en que los papás vuelven a casa. Sin embargo, la situación de atención y cuidado a los niños siguen siendo una colcha de retazos que no encaja muy bien con la jornada escolar o la laboral, y puede ser que los padres se sientan muy estresados por las limitaciones de los programas que ofrecen las guarderías.

> La inscribimos en el preescolar, de 9 a 3. Después tenía guardería, a pesar de que la idea no me gustaba para nada. ¿Quién diseñó eso? Es ridículo, es absurdo. Es una bofetada para las mamás. No tengo palabras para expresar lo furiosa que me pone.
>
> —PAULA

Quienes cuenten con los medios económicos, podrán contratar a una niñera que se quede en casa con los niños, y puede ser una alternativa rentable para las familias que tengan varios niños en edades cercanas, ya que la mayoría de las guarderías no dan descuento "por volumen". Y si bien es cierto que existe cierto prejuicio ante el hecho de tener una niñera entre quienes piensan que no podrían pagarla, los beneficios pueden ser más que económicos para una madre que trabaja. También está la opción de compartir a la niñera entre varias familias, lo cual reduce los costos y proporciona la flexibilidad que necesitan las familias que reciben ingresos de ambos padres.

> *Me preocupaba llenarme de resentimiento si me quedaba sola con mi niñita de tres años, y que ella pudiera resultar perjudicada por eso. Sé que la niñera no es tan divertida como yo, o igual de educada o de excéntrica, pero a fin de cuentas mi hija está más contenta porque pasa entre 7 y 9 horas diarias con esta mujer metódica, estructurada, mesurada, consecuente y cuidadosa. Me da gusto ver que puedo involucrar a una tercera persona que va a hacer que la infancia de mi hija sea más feliz.*

—IVANNA

¿Puedo llamar a mis vecinos y a mis amigos para pedirles ayuda o compañía?

Si usted combina el trabajo con la maternidad, tener una amiga que sea mamá de tiempo completo puede resultar importantísimo. Estas mamás de tiempo completo usualmente tienen un horario flexible que les permite recoger a otro niño además del suyo en la escuela. Y usted puede corresponderle llevándose al niño un fin de semana, o a dormir alguna noche, y así darle un respiro a ella también. Los vecinos, en especial los que tienen niños algo mayores que los suyos, por lo general están dispuestos a echar una manita si hace falta: una llamada angustiada desde un teléfono móvil en pleno tráfico de "hora pico" es algo ante lo cual un buen vecino difícilmente puede ser indiferente.

Los padres de los amigos de sus hijos también se convierten en una red valiosa para el cuidado de los niños, para organizar tardes y días enteros en compañía y también para urgencias, además de que le sirven a usted para socializar. A medida que los niños crecen, este grupo se hace cada vez más valioso para comparar comentarios sobre profesores, entrenadores deportivos, instructores varios, acontecimientos interesantes en la zona y consejos para tratar con los hijos.

Durante el primer año luego de la muerte de mi esposo, mi madre vino unas cuantas veces. Un año después, ella murió. Me sentí perdida. Los vecinos del frente solían recibir a mis hijos con frecuencia. ¡Tenía amigos! Los papás de los amigos

de mis hijos fueron muy amables e invitaron a mis niños a
sus casas. Una vez oí que uno de los amiguitos le decía a mi
hijo: "Cuando necesites un papá, ahí tienes al mío".

—ROSALYN

Buena parte de nuestra vida giraba alrededor del colegio de
nuestros hijos, que no era muy grande. Era normal que los
padres tuvieran los mismos intereses, ya que participábamos
mucho en las cosas del colegio. Hay algunas de esas parejas
que todavía están entre nuestros mejores amigos. Y claro está
que yo me sentía más cómoda con nuestros amigos con hijos,
pues teníamos mucho más tema en común.

—CRISTAL

¿Cómo pueden ayudar las escuelas y colegios?

Una vez que el niño entra al kínder, la vida se hace muchísimo más fácil en varios sentidos. Automáticamente, hay un lugar donde el niño pasa sus días desde temprano en la mañana hasta media tarde. Eso no quiere decir que los maestros sean niñeras, sino que juegan un papel muy importante en la vida del niño. Están con él durante buena parte del día y quieren comunicarse con sus padres. Pueden ofrecer perspectivas valiosas sobre el crecimiento y el bienestar del niño.

> *Al ser maestra, tenía una idea clara del comportamiento que no quería que tuvieran mis hijos. Uno se da cuenta de la manera como reaccionan ciertos niños, y sabe que es así porque en su casa se hace así.*
>
> —ANA

Los niños con intereses en el deporte también se involucran con entrenadores que pueden informarle cómo reacciona su hijo ante la victoria y la frustración. Los entrenadores y profesores de danza por lo general perciben no sólo los logros físicos de los niños sino también los emocionales. Esto puede resultar muy importante durante los difíciles años de la adolescencia, cuando los muchachos les comentan cosas que les cuesta compartir con sus padres.

¿Puedo confiar en lo que dicen los periódicos?

Mucha gente busca orientación sobre la crianza en los medios de comunicación, y quien sepa discriminar entre todo lo que ve, oye y lee podrá encontrar excelentes ideas y consejos. En el fondo, los medios son procesos para distribuir información. Es el usuario quien determina el valor de esa información.

Hay toda una serie de revistas que ofrecen orientación sobre crianza y educación de los hijos. Cuando los millones de suscriptores leen el material que traen estas revistas, la tribu se ve afectada. Las discusiones, que van desde cómo enseñarles matemáticas a los niños hasta cuándo se les debe dar una palmada, se publican diariamente, y promueven un análisis sobre cuál es la mejor manera de criar a un niño. Los programas de televisión, desde los que tienen contenido educativo hasta los *talkshows* de la tarde, ofrecen una amplia gama (a veces aterradora) de experiencias de crianza, de consejos, recomendaciones y recursos.

Y si los medios escritos, la radio y televisión no son suficientes, está también internet. Todos los días, a cualquier hora del día o de la noche, hay gente de todo el mundo que entra a los grupos de discusión y chats para hablar sobre los hijos, la crianza y la vida. Algunos de los proveedores de internet más grandes tienen cientos de grupos de discusión dedicados a la crianza y a la educación de los niños. Los padres que no encuentran ayuda al mirar a su alrededor pueden ingresar a la red y obtener consejos.

"No sé qué sería de mí sin ustedes", decía un mensaje enviado a un sitio web sobre crianza muy visitado. "No hay nadie que me entienda. Pero ustedes son tan comprensivos y tienen tantas experiencias e ideas para compartir. ¡Gracias!"

Si todavía no se siente en confianza con internet o si le hace falta el contacto personal, vaya a una biblioteca pública. En casi cualquier biblioteca, incluso los niños más pequeños encontrarán un lugar para explorar libros y videos. El personal de la biblioteca puede ayudar a desarrollar el interés de los niños por los libros a través de programas comúnmente conocidos como "La hora del cuento". También tratan al niño con respeto y le dan la responsabilidad de una tarjeta de afiliado a la biblioteca.

¿Cuándo puedo pedir ayuda?

Las mujeres embarazadas y mamás jóvenes, especialmente las que se concentran mucho en su trayectoria profesional, son independientes y muy seguras y muy pocas veces se van a atrever a llamar a alguien por teléfono para pedirle ayuda. Para muchas mujeres esto significará el comienzo del acabose, ya sea un colapso nervioso, agotamiento total, o el lento e imperceptible desgaste de la persona ante exigencias mayores y distintas.

Como la salud era lo principal, escribí una hojita para todos los que trabajaban conmigo, con los medicamentos que tenía que tomar, mis visitas al hospital, las horas a las que debía comer o cuándo debía revisarme el nivel de azúcar en la sangre y mi horario de ejercicio. Programé la licencia de maternidad y me aseguré de tener todo el trabajo al día a medida que se acercaba el momento. Quería estar preparada para cualquier emergencia, y que ellos estuvieran listos para ayudar también. ¡Fueron fabulosos!

—LORETTA

Simplemente hice lo que debía hacer, todo el tiempo. Jamás saqué tiempo para mí y probablemente por eso me chiflé. Hice todo yo sola, y luego me divorcié.

—KATHY

Las mujeres que no tienen problema en admitir frente a otros que están cansadas o en pedir ayuda para supervisar a un niño con mucha energía, se dan tiempo para recuperarse y también para reabastacer sus reservas de paciencia.

Las madres veteranas también necesitan recordar que vale la pena buscar apoyo cuando se necesita. Tras años de criar niños, pueden pensar que ya saben bien cómo es todo, que lo tienen bajo control. Pero la adolescencia de los hijos no es una etapa para dejarse enredar, pues uno debe estar atento a todo lo que hacen y a los amigos que tienen. Para tener éxito en la crianza es fundamental saber cuándo buscar ayuda y ser capaz de pedirla.

¿Quién ayudará en los "años terribles" de la adolescencia?

De repente uno decide ser madre, y toda la vida pasa a girar alrededor de los hijos y uno acepta la identidad de "mamá" para toda la eternidad. A lo mejor se retira del mercado laboral y deja en el aire esa carrera que había planeado, o sencillamente la deja en medio tiempo. A lo mejor vuelve al mercado laboral, sólo para darse cuenta de que se ha quedado atrás con respecto a sus pares, luego de haberse alejado de ese mundo durante cinco o seis años. Y termina aceptando con gusto esa pérdida, porque significa el tiempo que pudo pasar con sus hijos, los abrazos y los mimos, las lágrimas y las primeras veces.

Y luego, los niños crecen.

Los hijos adolescentes entran a formar parte de esa tribu. Consiguen trabajo, se ganan un pequeño salario, tienen sus propios amigos y reuniones sociales a las cuales dedicar el tiempo. De repente, y así se sentirá, la mamá ya no es el centro del universo.

Convertirse en mamá es sentirse necesaria, un día tras otro, de turno constantemente, desde el día en que nace el bebé hasta el momento en que se hace un adulto joven. A pesar de lo monumental que pueda parecer el giro que da la vida cuando uno decide ser madre, el giro que ocurre cuando los hijos empiezan a irse de la casa, tanto a nivel físico como emocional, puede ser igualmente monumental. Y la tribu puede jugar un papel importante, aunque no siempre positivo, en la dirección que tome el hijo.

*Mis hijos llegaron a la mayoría de edad en los setenta, en
una ciudad universitaria donde el sexo, las drogas y el rock
and roll dominaban la transición de la niñez a la edad
adulta. La mayoría de los jóvenes tenían libre acceso a la
marihuana y a las drogas psicodélicas a través de las reservas
"secretas" de sus padres. Mis hijos no fueron la excepción. El
alcoholismo en menores de edad se estaba generalizando. Esa
época de la historia fue radical para esta camada de
muchachos: radicalmente buena y radicalmente mala. Pero
sobre todo fue disfuncional para demasiados niños, incluidos
los míos.*

—ESTEFANÍA

Ése es un momento para que las mujeres busquen ayuda en la tribu.
Las madres de adolescentes necesitan encontrar aliados, personas como
entrenadores deportivos o los padres de otros muchachos deportistas o
de amigos, que se hayan ganado el respeto y la admiración de sus hijos.
En ese momento, la madre necesitará confiar en estas personas para guiar
a sus hijos en la dirección adecuada y aprender que no es culpa de ella si
sus hijos deciden tomar un camino más complicado. También necesitará
buscar médicos apropiados para sus hijos, como pediatras para adolescentes, ginecólogos para las niñas, médicos de familia y a veces también
profesionales de la salud mental.

A medida que sus hijos llegan a la edad universitaria o que empiezan
a trabajar tiempo completo, usted debe comprender el proceso de ayudarles a iniciar su propia vida, pues así como sus hijos ya adultos toma-
rán la mayoría de las decisiones, si no todas, será a su mamá a la primera
que acudirán en caso de crisis. Dejar que los hijos tomen sus propias
decisiones y soltarles las riendas de su vida puede ser tan difícil como la
misma crianza.

*Mientras estaba criando a mis niños, no me dediqué un
minuto a mí misma. Cuando estaban pequeños no podía ni
siquiera ir al baño sin que me interrumpieran. Era muy
normal esa locura de estar "de guardia" permanentemente.
Trato de pensar qué haré ahora que están creciendo. Tengo
una amiga que le dedica muchísimo tiempo a ver qué están*

dando en la televisión, sólo para ocuparse. Es mucho más
fácil cuidar a otros que cuidar de mí misma.

—HELENA

La transición entre la casa paterna y la propia fue difícil.
Cuando mi hija terminó el colegio, se fue a una ciudad más
grande, pero el cambio resultó demasiado para ella. Pensó
que iba a ser feliz allá, pero se sentía muy desgraciada.
Volvió a casa por seis meses, consiguió un apartamento, se
retiró de la universidad y luego se fue a vivir cerca de su
papá. No funcionó, así que se unió a un circo. Lo peor de
todo es que mi único contacto con ella es cuando me llama,
por lo general entre funciones.

—EVA

Ahí es cuando las mamás encuentran otra parte de la tribu a la cual acudir: otros padres que están pasando por la experiencia del "nido vacío" y se enfrentan a las mismas cosas. Con frecuencia es una buena idea acercarse a parientes de edades similares. Los miembros de la comunidad religiosa a la que uno pertenece, y que tienen hijos de la misma edad de los propios, pueden ser buenos interlocutores, pues escuchan y comparten historias similares. Si los hijos se van a estudiar a otra universidad, seguramente habrá asociaciones de padres de diversos tipos a las cuales unirse, o también puede uno dedicar ese tiempo libre a su relación, a la casa o a la comunidad.

¿Dónde puedo conocer a otras personas sin hijos?

Para las mujeres sin hijos, a veces parece que el mundo entero estuviera hecho de películas de Disney y parques para jugar. Pero también existe la vida sin hijos, y a medida que amigos y familia van saliendo de la vida, usted puede seguir construyendo una vida satisfactoria y equilibrada entre el ocio y el trabajo, y tener una variedad de amigos.

Siempre he estado convencida de que si uno va a tener hijos, debe anteponer las necesidades de ellos a todo lo demás relacionado con uno. Pero yo quería hacer otras cosas, con respecto a mi profesión y también a mi tiempo libre. No quería que los hijos me quitaran esas cosas de la vida.

—ELIANA

Internet ha expandido de manera increíble la posibilidad de que la gente que no tiene hijos se conozca, por ejemplo. Así pueden compartir ideas, despotricar, compadecerse mutuamente y divertirse. Childfree.net es uno de los sitios web que están a disposición de las parejas sin hijos, e incluye vínculos a otros sitios web y también títulos de libros y grupos de apoyo que se ocupan de las necesidades de solteros y parejas en toda una gama de condiciones: desde los que no tienen hijos por elección propia, hasta los infértiles que necesitan consuelo.

No Kidding! es una organización internacional sin ánimo de lucro que va más allá del mundo virtual para ayudar a la gente a organizar grupos locales que proporcionen actividades sociales para solteros y parejas sin hijos. Según su presentación en el sitio web, el fundador estaba cansado de tener que justificar el hecho de no tener hijos en todos las reuniones sociales a las que iba, pues todo el mundo suponía una de tres posibilidades: o bien tenía hijos, o los iba a tener, o no estaba bien de la cabeza. Existen grupos de esta organización por todos los Estados Unidos y en muchos otros países. Si está interesada, investigue en su localidad, o vía internet.

> *La primera reunión a la que fuimos era en un club nocturno. Allá conocimos a dos parejas. Ahora tenemos un abono para asistir juntos a toda la temporada de partidos de fútbol de los Bulls de Durham, porque el año pasado asistimos a una reunión de No Kidding! en esa ciudad. Nos cuidamos unos a otros, como una especie de familia sustituta, aunque no conocemos muy bien a esta gente, ¡pero han sido tan acogedores!*
>
> —ROBERTA

También hay grupos de apoyo para la infertilidad, dedicados a mujeres que no pueden concebir un bebé sin intervención médica o que decidieron no hacer el intento. Hay grupos de apoyo organizados por mujeres infértiles. RESOLVE es la organización más grande de los Estados Unidos que tiene que ver con asuntos relacionados con la infertilidad, pero hay otras, como la American Infertility Association (Asociación de Infertilidad de los Estados Unidos). Es posible que su médico sepa de algunos de estos grupos que funcionen en su ciudad; pregúntele. O también puede buscar en internet.

Los grupos deportivos y dedicados a una vida activa son otra opción para las mujeres sin hijos, a las que las asalta toda una gama de actividades comunitarias que giran alrededor de los niños. Las revistas y los sitios web que tratan de deportes o un estilo de vida muy activo pueden estimularle la imaginación para desarrollar actividades que no se le habían ocurrido desde la infancia.

Me encanta la posibilidad de ir a donde sea y no tenerme que
preocupar qué voy a hacer con los niños.

—LAURA

He podido hacer un montón de cosas distintas: tomar cursos,
escribir un montón, irme de vacaciones sola.

—SUZIE

Una mujer se encargó voluntariamente de limpiar la playa de un lago que visitaba durante un fin de semana de cada mes del verano, otra encabezó un proyecto de construcción exclusivamente de mujeres. En estos casos puede ser que se vea en medio de un grupo mixto de jóvenes y adultos mayores cuyos hijos ya se han ido de la casa, pero esto sirve para expandir su red de amistades y experiencias.

El hecho de que uno haya decidido no tener hijos no quiere decir que no le guste pasar un rato entre niños. En casi todas las ciudades hay cientos de organizaciones que trabajan con niños, con ancianos, con personas discapacitadas o especiales, con gente que lucha por la justicia social y la equidad, o algo tan simple como un grupo de gente que le gusta cocinar. Siempre están buscando voluntarios. Las mamás que uno conoce siempre están buscando tomarse un respiro del cuidado de sus hijos y agradecerían mucho la oferta de llevarse a los niños una tarde, o una noche a dormir fuera. La mayoría de las mamás no se atreverían a imponerle algo semejante a una mujer sin hijos, así que es uno quien tiene que encargarse de hacer el ofrecimiento. Puede ser agradable para la mamá y para uno puede ser la oportunidad de disfrutar la compañía de los niños.

Cuando voy a la iglesia, siempre siento a un niño sobre mi
regazo. Hacemos eso con frecuencia y circulamos a los bebés
entre nosotros. Los llamamos "los bebés de la iglesia". Me
acerco a la gente y le digo: "Cuando quieran salir a comer
una noche, nosotros nos podemos quedar con el niño". Lo
hacemos con frecuencia los sábados por la noche. La gente
nos deja a sus hijos, se van a pasar un buen rato y yo
termino por ser amigable con gente a la cual no me hubiera
acercado en otras circunstancias. A veces me sorprende.

—MYRA

Usted también puede convertirse en una especie de hermana mayor para niños ajenos, o hacerse líder de un grupo de niñas scouts, o presentarse como voluntaria en la biblioteca del barrio o en una escuela cercana a su casa. Aunque es cierto que requiere más motivación e imaginación encontrar a esta tribu y pasar a ser parte de ella, está ahí afuera y, en muchos aspectos, está creciendo día a día.

8

¿Cómo afectarán los hijos mi carrera profesional?

Hasta ahora, salvo por un breve período durante el movimiento feminista en los setenta, se había considerado un tabú comparar el crecimiento personal que se alcanza a través de una carrera o cualquier otro aspecto de la vida con el que brinda la maternidad. ¿Quién se atrevería a decir que el milagro del nacimiento y el amor incondicional de un niño pertenecen a la misma categoría que otras cosas que ofrece la vida? Pero parece que los tiempos cambian. Nuestras entrevistas, encuestas e investigación muestran que aunque muchas mujeres aprecian el milagro del nacimiento y la crianza de un hijo, también se dan cuenta de los enormes sacrificios que hacen las mujeres para ser madres, y no siempre están dispuestas a pasar por ellos.

¿Qué pasa si no quiero dejar a un lado mi carrera profesional?

Las mujeres en edad universitaria miran al futuro, a su cercana vida laboral, con la intención de equilibrar profesión y familia. Sin embargo, a medida que maduran, muchas profesionales dedicadas se dan cuenta de que esos planes cambian con el tiempo y las circunstancias. Por ejemplo, Sylvia Hewlett, para su libro *Creating a Life*, entrevistó a una serie de profesionales exitosas, y encontró que el 50 por ciento de ellas no tenían hijos. En el libro, también destaca una profunda sensación de pérdida en algunas de ellas con respecto al hecho de no tener hijos, que iba aumentando con la edad.

Sin embargo, también es cierto que resulta mucho más fácil añorar la alternativa que uno rechazó. Por ejemplo, las profesionales de treinta y tantos con frecuencia admiten que sienten envidia al ver a las mamás de tiempo completo, felices con sus niños pequeños. Al mismo tiempo, las mujeres que se concentraron primero en la maternidad reconocen cierta tristeza al ver a otras mujeres en traje de ejecutivas conversando mientras almuerzan.

Si está acostumbrada al ritmo frenético del mundo laboral, puede ser que descubra que se aburre al lidiar con un bebé. En esas seis u ocho semanas que pasan antes de que el recién nacido siquiera note que su mamá existe, las mujeres muy activas y energéticas pueden sentirse atadas a su casa, incapaces de hacer nada de provecho durante las siestas del bebé, agobiadas por las labores domésticas y su propio agotamiento.

*Definitivamente, el estrés aumenta. Nunca puedo hacer lo
que quiero sin pensar en los arreglos necesarios para mis
hijos. Siempre tengo que trabajar con ellos cerca.*

—DANA

Las madres que trabajan tienen que vérselas con el estrés producido
por diversas causas: el remordimiento por dejar a su bebé en manos ajenas; la dificultad de encontrar una niñera o una guardería buena, confiable
y de precio razonable; la prisa por volver a casa a tiempo para relevar a la
niñera; la responsabilidad de dejar listo al bebé y la comida preparada
antes de salir a trabajar; nuevas tareas como llevar al niño a jugar con
otros niños, etc. Una pareja solidaria, que se involucre en los quehaceres
de la crianza, aligera la carga, claro. Pero en la mayoría de los hogares
hoy en día, todo esto recae sobre la mamá.

*Ha sido un desafío arreglar encuentros para que mi bebé
juegue con otros bebés. Me ha obligado a ser mucho más
proactiva y extrovertida de lo que solía ser. Mi esposo dice:
"Yo lo haría si pudiera", pero todos sabemos que son las
mujeres quienes se encargan de esas cosas. La gente podría
pensar que él es una especie de pervertido si llama a la
mamá de Susy a preguntarle si pueden verse en el parque
para que las niñas jueguen.*

—NINA

*Volví a trabajar porque, luego de tres meses de quedarme en
casa, me estaba volviendo loca. No resistía un día más
encerrada en la casa con el bebé de la mañana a la noche.
¡Necesitaba salir! Y mi marido no me daba ni un centavo, así
que le tenía que pedir. También necesitaba mi propio dinero.*

—JOANA

Claro está que uno debe decidir cuál es el punto de equilibrio entre el
trabajo, los amigos, la familia y los sueños personales. Es posible crear
una vida que permita el desarrollo personal paralelo, o agregado, a los
demás terrenos. Y la decisión de no tener hijos produce un impacto mayor en la carrera de las mujeres que en la de los hombres.

Creo que estuvo bien no haber tenido hijos porque los pobres estarían en medio de todo. Es una decisión que ha ido evolucionando con el tiempo, a medida que he ido replanteando mis objetivos tanto en mi vida como en mi trayectoria profesional. Quiero hacer lo que realmente deseo hacer, y los niños definitivamente no encajan en esos planes.

—IRENE

Las cosas no resultaron como yo esperaba. Me costó mucho volver a trabajar luego del tiempo que pasé en casa con los niños. Me encontré con que no recordaba cosas y con que otras habían cambiado. Todo el mundo esperaba que yo siguiera al tanto de todo. Además, es difícil concentrarse en el trabajo mientras uno anda pensando en sus hijos.

—DOLORES

¿Podría convertirme en mamá de tiempo completo?

Hay mujeres que vivían para su trabajo y de repente pasan a sentirse fuertemente inclinadas a dedicarle todo el tiempo posible a su bebé y a quedarse en casa.

Yo era muy ambiciosa. Bueno, no es que ahora no tenga ambiciones, pero pasé de querer ser la mejor en mi área y de vivir en busca de un ascenso a sentirme bastante satisfecha con lo que tengo en mi trabajo. Es una decisión que no me veo tomando hace ocho años.

—CELIA

Me sorprendió no tener ganas de volver a trabajar después de que mi hijo nació. Pensé que pronto el llanto y todo lo relacionado con el bebé me iba a agobiar, pero fue al revés. No soporté la idea de dejarlo. Mi carrera me parecía insignificante; por primera vez en la vida, no era sino un simple trabajo.

—CRISTINA

Si decide abandonar su carrera por completo, se enfrentará a un nuevo paisaje doméstico: pasará a depender del sueldo de su marido, lo cual puede llevar a que su sensación de independencia tambalee. Se convertirá en una mamá de tiempo completo y se preguntará qué traerá consigo ese nuevo rol. De repente se preocupará por la trayectoria profesional que dejó atrás. ¿Qué tal que a su pareja le sucediera algo? Y a veces, fugazmente, puede ser que surja algún resentimiento contra ese pequeño ser que trajo al mundo, que a veces se convierte en una especie de lastre que la amarra.

Pero hay muchas mujeres que nunca vuelven a mirar la carrera que dejaron atrás. Descubren que la maternidad es bastante cómoda y que, a excepción de uno que otro día difícil por cuenta de un cólico del bebé, pueden llegar a dominar esta forma de vida muy bien.

> *Nunca podía terminar lo que empezaba en casa. No me di*
> *cuenta de cuánto tiempo me exigiría cuando decidí dedicarme*
> *por completo a mis tres hijos. Me sentía más cansada que*
> *nunca, pero con todo seguía tratando de ser "supermamá".*
>
> —ELISA

¿Puedo tomarme un tiempo para tener hijos, alejarme del mundo laboral y luego volver?

Para la mayoría de las más jóvenes, que han ido a la universidad, el foco principal de su vida es la carrera profesional, bien sea abrir un consultorio, trepar la escalera de ascensos sucesivos dentro de una compañía o establecerse como profesionales. Si apunta hacia un puesto como ejecutiva quizás le interese saber que la encuesta realizada por Sylvia Ann Hewlett entre ejecutivas concluyó que apenas un 16 por ciento de las mujeres de éxito cree que uno puede "llegar a tenerlo todo" en cuanto a carrera y familia. Eso hace que tener trabajo y familia, bajo las condiciones económicas actuales, tenga pocas probabilidades de éxito, a menos que sea en circunstancias extremadamente favorables.

> *Yo habría sido una mamá feliz y genial si hubiera tenido una corte de sirvientes, no unos sirvientes "cualesquiera". Pienso en gente del calibre del personal doméstico de Madonna. Es gente que cobra salarios muy altos y a la que hay que tratar mejor que a los niños, porque ayudan a cuidarlos, a los niños de uno. Mejor aun sería contratar una tribu entera y asegurarse de que a la cocinera le guste cocinar y de que a los que lavan los pisos les guste lavarlos y de que reciban una paga tan buena que canten mientras trabajan.*
>
> —NIKKI

Para facilitarse las cosas, hay muchas mujeres que toman la alternativa de la "secuenciación", que es un término para denominar la situación de quienes se retiran del mercado laboral el tiempo suficiente como para tener hijos, encargarse de la crianza en las primeras etapas y luego volver a ingresar al mercado.

> *Mi carrera está en "pausa" en este momento, para quedarme en casa. Soy enfermera, así que debería ser capaz de conseguir trabajo en cualquier momento, gracias a mi experiencia y credenciales.*
>
> —CLARA

> *Me retiré de la universidad antes de tener al primero. Tuve la suerte de encontrar una serie de trabajos que me gustaban y que además me ofrecían una paga razonable… Acabo de terminar una maestría y ahora dedico mucho más tiempo a hacer el trabajo para el cual me he capacitado… Le doy gracias a la vida por tener ambos aspectos, familia y trayectoria profesional, en secuencia.*
>
> —FANNY

Claro que hay muchas profesiones en que las mujeres (y también los hombres) deben sufrir una especie de castigo por alejarse durante unos años. Incluso si uno trata de mantener el buen nivel de sus destrezas y reingresa al mismo trabajo, seguramente no estará en el mismo lugar que el resto de sus pares, los que no abandonaron el mercado laboral. En ese lapso, además, las relaciones laborales y personales se habrán enfriado y su reputación, debida a su buen trabajo, su creatividad o su carisma, se habrá disipado. Sus pares, que habrán cumplido con sus "deberes", pueden ser los favorecidos con el ascenso que usted añoraba y que le estaría destinado, de no haberse retirado del mundo laboral.

> *En retrospectiva, pensé que trabajar desde mi casa me iba a permitir tener un pie en el mundo profesional. Pero cuando mi marido nos dejó y tuve que buscar un trabajo para sostenernos, me di cuenta de que tendría que volver a*

empezar como cualquier novata y saltar a un nivel
profesional adecuado para mí cinco años después.

—ESTELA

Para más información al respecto, busque en su ciudad si existen grupos de apoyo o asesoría. Puede también consultar la página web mothers and more.com para leer más sobre el tema.

¿Cuáles son las carreras profesionales más convenientes cuando uno tiene hijos?

Las mujeres con ambiciones profesionales, que quieren "tenerlo todo", encontrarán que hay varias carreras más convenientes que otras para tener hijos, bien sea porque implican horarios más breves o flexibles o porque no exigen desplazarse a un sitio lejano. Estas trayectorias profesionales incluyen la docencia y otras labores relacionadas con instituciones educativas, asesorías y consultorías independientes, diseño gráfico, trabajo en internet y trabajo social. A pesar de todo, no debe olvidar que al ser trabajadora independiente deberá hacerse cargo de sus vacaciones así como de su fondo de pensiones. Tendrá que velar por sí misma, mientras mantiene a su hijo alejado de las porcelanas y discute los detalles de su próximo proyecto.

> Tuve que organizarme para empezar a trabajar más tarde y llegar a casa más temprano, ya que soy la que más se ocupa de los niños. Había logrado establecerme más o menos bien como redactora y escritora independiente pero mi familia no entiende el significado de la expresión "fecha de entrega".
>
> —VALERIA

> Como trabajo independiente, tener un bebé no implicó un gran impacto en mi trayectoria profesional. A mis clientes no les conté que estaba embarazada, que tengo un bebé, un

perro neurótico y estoy pintando la casa. Mientras cumpla
con las fechas de entrega y haga un buen trabajo, me
contratarán de nuevo.

—SONIA

Siento que mi hija está primero que todo, así que ahora
trabajo sólo veinte horas a la semana y tengo dos negocios
que manejo desde la casa, para aprovechar y poder estar con
ella todo el tiempo posible.

—MELBA

Las experiencias en algunos países demuestran que si la mujer se desempeña en un área que permita horarios flexibles, bajo políticas que no riñan con el hecho de construir y tener una familia y con la opción de trabajar medio tiempo mientras cría a sus hijos, es más probable que tenga éxito simultáneo en el ámbito profesional y en el familiar. Diversas feministas reconocidas (y otras personalidades también) a lo largo de los últimos veinte años han defendido aspectos específicos de estas políticas. Algunas de las opciones incluyen horarios flexibles, licencia de maternidad remunerada, beneficios de incapacidad prenatal, facilidades de guardería y cuidado infantil en el lugar de trabajo y un seguro de salud familiar que ofrezca un cubrimiento amplio y generoso. Toda mujer debe plantearle las inquietudes en este campo a su posible empleador, para asegurarse de qué beneficios tendrá.

La siguiente es una lista de ideas sobre lo que se debe buscar en un empleador:

- Horarios de trabajo flexibles
- Licencia por enfermedad y otros tipos de licencia
- Posibilidad de acumular períodos de licencias de un año a otro
- Guardería en el lugar de trabajo o en las cercanías
- Seguro de salud familiar
- Subsidio educativo para hijos de empleados
- Categorías laborales que no requieran trabajo de noche o en los fines de semana, o viajar mucho
- Licencia no remunerada con garantía de retorno a un trabajo similar al que se dejó

*En realidad no desvié mi carrera, simplemente cambié de
rumbo. Dejé de buscar que me hicieran socia y pasé a
convertirme en "asesora"; así, mi compromiso de tiempo se
redujo a treinta horas a la semana. Me libré de esa sensación
de estar en la pantalla de un radar, ese horrible monstruo de
horas-asiento que uno tiene que alimentar día tras día.
Ahora, en lugar de ser un monstruo es más bien como un
perro San Bernardo en la parte de atrás de mi camioneta.*

—IVONNE

Claro está que la crianza de los hijos no tiene por qué recaer exclusivamente en la mujer. Hoy en día, las parejas inventan formas muy imaginativas de mantener a uno de los padres en casa, con los niños. Algunas deciden mandar a Mamá a trabajar mientras Papá se queda en casa.

*Cuando mi marido decidió dejar de trabajar por un tiempo,
yo dije "voy a aprovechar la oportunidad y me voy a
concentrar en mi trabajo". Trabajo mucho, hasta tarde, y me
siento feliz de haber encontrado a un hombre como mi
esposo, progresista e inteligente. Por eso lo escogí, no por su
capacidad para hacer dinero.*

—MARCIA

9

¿Cuánto cuesta tener un hijo y criarlo?

Mucha gente podrá decir que tener un hijo y criarlo es un proyecto costoso, pero muy pocas de esas personas en realidad han hecho las cuentas. Y para muchas mujeres no hay razón de hacerlas. Saber que tener hijos es costoso no parece relevante si uno ya se ha hecho a la idea de tenerlos, pero si no ha decidido todavía o quisiera hacer planes minuciosos, puede ser útil tener en mente los retos económicos que puede enfrentar.

¿Cuánto cuestan los tratamientos de fertilidad?

Si descubre que tiene dificultades para concebir un bebé y quiere ayuda tecnológica, deberá ponerse en contacto con un experto en fertilidad, que por lo general será un ginecólogo especializado en endocrinología reproductiva. El primer factor que sirve para predecir sus posibilidades de éxito con cualquier tratamiento avanzado de fertilidad es la edad de sus óvulos (están todos ya maduros cuando nace, así que la edad de los óvulos es la misma de la mujer).

Hay varios niveles de tratamiento de fertilidad, y prácticamente cada mes se publican nuevas tecnologías en revistas médicas especializadas. La más conocida, y también más utilizada, es la fertilización in vitro, a la que en otros tiempos se llamó "bebé probeta", porque los óvulos se fertilizan en laboratorio antes de implantarse en el útero de la mujer. Las investigaciones afirman que las probabilidades de que una mujer dé a luz a un bebé a través de la fertilización in vitro varían entre 20 y 50 por ciento, dependiendo de la edad, el estado de salud y otras circunstancias.

En los Estados Unidos, la fertilización in vitro cuesta entre $10.000 y $15.000 dólares por cada vez que se pasa por el ciclo de fertilización e implantación. Algunas pólizas de seguro de salud cubren los tratamientos de fertilidad hasta un monto determinado, pero otras no.

Para mayor información sobre este tema, pregúntele a su médico de confianza o consulte con una clínica especializada en fertilización en su ciudad, para que pueda hacerse una idea más clara de los costos en su país y en su ciudad.

Estábamos gastando el dinero de mi esposo en eso, asunto del
cual yo era muy consciente, pero pasar por todo el proceso de
fertilización in vitro con un óvulo era un riesgo enorme y
bien podía fracasar. En últimas, era como si le estuviera
pidiendo que tirara 15.000 dólares por el inodoro. Él fue
muy comprensivo, y me dijo: "A ver si te entiendo bien: éste
es el único óvulo que tenemos ¿y además puede ser el único
que lleguemos a tener?" Yo nada más le contesté que lo
amaba desde el fondo de mi corazón.

—RONDA

Luego de dos ciclos de in vitro, teníamos que decidir: o lo
intentábamos de nuevo o invertíamos el dinero que nos
quedaba en adoptar a un bebé. Fue horrible tener que basar
nuestra decisión en asuntos económicos pero en ninguna de
las opciones teníamos garantías. Fue muy difícil.

—MARISA

¿Cuánto cuesta
la inseminación artificial?

Si es el hombre el que tiene problemas de fertilidad (lo cual sucede en un 40 por ciento de las parejas infértiles), o si la mujer es soltera pero quiere tener un hijo, o si una pareja de lesbianas quiere un bebé, la opción más tentadora es la inseminación artificial. El resultado será un bebé que tiene vínculos genéticos con la madre y con el donante de semen, que por lo general se mantiene anónimo. La inseminación artificial es poco costosa: los bancos de semen cobran entre 300 y 800 dólares por una cantidad de semen y por un sobreprecio guardan más muestras, en caso de que la pareja, o la mujer, quiera más niños con el mismo bagaje genético. En general, los bancos ofrecen, además de la descripción de las características físicas del donante y su historial médico e historia de familia, exámenes genéticos y fotos de infancia o grabaciones de entrevistas en audio con el donante.

Consulte con su médico de confianza para mayor información sobre este procedimiento y los costos en su ciudad.

Tomé la decisión de hacerme la inseminación artificial porque era un asunto más bien económico. Era muy costoso adoptar (alrededor de 10.000 dólares), pero si trataba de quedar embarazada (sin pasar por toda la ruta de la terapia de hormonas y la fertilización in vitro), iba a ensayar la inseminación, que no costaba sumas exorbitantes.

—ÁNGELA

¿Cuánto cuesta tener un bebé?

La mayoría de los médicos y las parteras cobran una suma total que cubre gastos de cuidado prenatal, trabajo de parto y parto en sí. Hay muchos que no hacen diferencia entre un parto vaginal o uno por cesárea. El seguro médico suele cubrir parte de estos costos, que en promedio alcanzan los $2.400 dólares, en los Estados Unidos. (Para información exacta de los costos en su ciudad, consulte con su médico o con su asesor en el seguro médico.)

El precio de las consultas médicas depende del tipo de seguro que tenga la madre. Así, lo mejor para tener una idea clara de los costos es consultar con su médico o su asesor en el seguro médico. Hay que tener en cuenta que si el embarazo se complica, puede ser que los costos extra de exámenes adicionales y consultas con otros médicos no estén cubiertos por el seguro y la madre tenga que asumirlos por su cuenta.

Las mamás de más de treinta y cinco años y las que han presentado pruebas de sangre que sugieren anormalidades en el feto, por lo general deberán practicarse una amniocentesis, para descartar anomalías genéticas. Las estadísticas muestran que las aseguradoras pocas veces asumen y pagan este tipo de exámenes.

Las mamás de cualquier edad, pero que sufran de afecciones crónicas como diabetes o hipertensión, quizás tengan que incurrir en gastos adicionales por pruebas de laboratorio, o un mayor número de ecografías. Todos estos exámenes adicionales tratan de asegurar que el bebé esté en las mejores condiciones para el momento del parto. Las aseguradoras no siempre cubren estos gastos.

Hay muchas mujeres que deciden acudir a una partera para el cuidado prenatal. Las parteras pueden ocuparse de la mayor parte de este proceso y pueden ser un factor adicional importante al cuidado que se recibe en el hospital. Pero no hay que olvidar que no pueden efectuar cirugías de urgencia, porque por lo general no están capacitadas para hacerlo, o no cuentan con el equipo y las instalaciones para controlar complicaciones. Sin embargo, muchas conocen a médicos en su área. Si la madre presenta complicaciones en el embarazo, o durante el parto, tendrá que correr con los gastos de cualquier intervención quirúrgica y con los gastos hospitalarios, además del costo de la partera.

Muchas mujeres eligen tener a su bebé en centros de maternidad independientes, con la esperanza de recibir atención más personalizada y de tener más control sobre todo el proceso del parto. Se calcula que estos centros pueden reducir los costos del parto entre 30 y 50 por ciento, debido a que no necesitan cobrar gastos de estructura tan altos y porque por lo general realizan menos intervenciones quirúrgicas. Pero, nuevamente, para información exacta, consulte con su médico de confianza.

Por razones que no siempre tienen que ver con los costos, está creciendo la acogida de los nacimientos en casa. Sin embargo, es una posibilidad que no recomendamos. Si una mujer embarazada, o el bebé, está en problemas, el tiempo que tome llevarla al hospital puede marcar la diferencia entre la dicha y la tragedia.

Por último, si el embarazo se complica hasta el punto de que la futura madre tiene que dejar de trabajar y guardar cama, tendrá que sumar la pérdida de su ingreso al costo total de tener el bebé.

¿Cuánto costará arreglar la habitación del bebé?

La llegada de un bebé implica preparativos de grandes proporciones, pero una joven pareja puede recurrir a un buen número de alternativas para aliviar la carga económica de arreglar la habitación para el bebé.

Los objetos esenciales para el bebé en camino incluyen, obviamente, pañales, camisetas, piyamas, una cuna o moisés, un portabebés/asiento para el auto (que hoy en día suelen ser un mismo elemento con varias posibilidades de uso) y probablemente un cochecito. Hay unos cuantos sitios web que pueden servir como orientación para calcular el costo de éstos y otros elementos.

Nuestra cultura, al igual que muchas otras, tiene un ritual para ayudar a los padres con los gastos: las lluvias de regalos para el bebé. Las futuras mamás deben ser muy específicas en cuanto a la ayuda que requieren, porque sus amigas quieren regalarles cosas que sean útiles.

Y hay otra tradición cultural, dentro de círculos más íntimos, que se llama "herencias". Las futuras madres por lo general reciben toda una montaña de ropa casi nueva y juguetes que los bebés de su familia, vecinos y amigos usaron durante un mes o algo así, antes de que les quedara pequeña. A menudo, las mamás veteranas se alegran de poder sacar todo eso de los clósets o de algún depósito, y la futura madre tendrá la satisfacción de conseguir muchas cosas para su bebé sin tener que desembolsar un centavo.

Claro está que muchas de estas cosas luego le servirán al bebé número dos, si es que la futura mamá tiene otro, y así el costo de tales objetos disminuye para el segundo hijo. Por otro lado, si la mamá recibe la sorpresa de tener gemelos, se enfrentará a costos mayores. Se puede suponer que se duplicarán, y uno puede estar agradecido de encontrar a más de una amiga con una cuna guardada en algún depósito, o una bolsa llena de ropa de bebé que todavía está en buen estado.

Al principio gastamos demasiado en "cosas" que pensábamos que el bebé iba a necesitar. A medida que pasaba el tiempo, nos dimos cuenta de que habría podido usar ropa heredada de otros niños y de que en realidad no necesitaba tener todos los juguetes de Elmo. Seguimos comprando los pañales más caros, pues nunca nos decidimos a comprar las marcas baratas. Y como la niña fue prematura, la leche nunca me salió bien, así que tuvimos que comprar una leche formulada muy costosa durante bastante tiempo.

—EDITH

Por razones de seguridad, habrá algunas cosas en las que una mamá no va a querer escatimar gastos o recibirlas de segunda mano, como por ejemplo cunas muy viejas (de las que tienen barrotes a través de los cuales el bebé alcanzaría a meter la cabeza), asientos para auto de otras generaciones (que ya no son seguros de acuerdo con los criterios actuales) u otro tipo de objetos que ya se han mandado a recoger. La información más actualizada sobre estándares de seguridad se encuentra en el sitio web safetyforum.com, que también cuenta con foros de discusión y buscadores para poder encontrar datos relacionados con productos específicos.

¿Cuánto cuesta criar
a un hijo?

Esto, obviamente, depende del país y de la ciudad en donde usted resida. Sin embargo, para darle una idea de lo que debe tener en cuenta, mencionaremos el caso estadounidense.

En Estados Unidos, los gastos varían sustancialmente según la región del país, pero también según el entorno: si es urbano, suburbano o rural. Si la madre decide hacer una pausa en su trayectoria profesional, eso afectará su ingreso y también sus posibilidades de retiro. Y si la madre ha construido una carrera en un campo que permite seguir con el "camino de la maternidad", es probable que frente a sus colegas el salario y la posición que alcance sean inferiores.

¿Cómo se reparte este pastel de los ingresos? La vivienda es el mayor gasto en la crianza de los hijos, y absorbe entre 33 y 37 por ciento del ingreso anual. Alimentar a los hijos es el segundo renglón de gastos en importancia, y absorbe entre 15 y 20 por ciento de los gastos anuales. Auto, gasolina, reparaciones y transporte público suman el 13 ó 14 por ciento de los gastos totales de una familia con hijos. El costo de la persona que cuide a los niños, o de la guardería, absorbe el 10 por ciento del presupuesto anual de una familia con hijos, y los topes más altos se ven entre los 3 y 5 años de los niños. Pero estos promedios a nivel nacional no lo dicen todo. En las grandes ciudades, por ejemplo, los costos pueden ser mucho mayores.

Adicionalmente, los gastos en ropa pueden llegar a absorber un 6 u 8 por ciento de los gastos totales. Y los elementos de aseo personal, entretenimiento y materiales de lectura absorben entre un 10 y un 13 por ciento del costo total de criar a un niño.

Los servicios médicos ocupan un 7 por ciento del gasto anual, que incluyen gastos médicos y odontológicos que el seguro no cubre. En el caso de niños con discapacidades o enfermedades crónicas, estos gastos se elevan en forma exponencial.

Es difícil imaginar otros gastos antes de llegar a tener un hijo. Éstas son algunas sorpresas: el aumento del costo de las vacaciones, debido al boleto de avión o el cuarto de hotel extra; regalos por fiestas de cumpleaños. Si el niño muestra interés en la música o la danza, habrá que añadir el precio de las clases de una cosa u otra a lo largo de los años. Los deportistas casi siempre deben costear sus uniformes en la escuela. Y uno de los nuevos gastos de la actualidad para los padres es la computadora. Con los veloces cambios en la tecnología, los padres deben hacerse a la idea de tener que comprar varias computadoras a lo largo de los primeros diecisiete años de vida de sus hijos y, probablemente, una más para la universidad.

Hay otros gastos opcionales como escuela privada, que puede llegar a costar tanto como la matrícula universitaria, y tener una niñera en casa.

La niñera me tuvo con el agua al cuello durante una temporada, ¡pues absorbía más de la mitad de mi sueldo! ¿Vale la pena trabajar en esas condiciones? En algún momento pensé en cuidar niños yo, pero no me veo metida en casa 24 horas al día, 7 días a la semana.

—LINDA

¿Cuánto costará la educación?

Nuevamente, este tema depende del país y la ciudad donde resida. Asesórese de alguien capacitado y de confianza para hacer su propio presupuesto. Mencionemos el caso estadounidense para que se haga una idea.

La universidad es costosa en los Estados Unidos, y cada vez vale más. Si uno lograra ahorrar $140 dólares por mes, a un interés del 5 por ciento, podría llegar a pagar una carrera de pregrado de 4 años de duración en una universidad pública (un total de $45.000), de aquí a 18 años. Pero solamente si asumimos que las matrículas subirán un 8 por ciento anual, como sucedió hasta hace poco. En los últimos dos años, algunas universidades públicas de los Estados Unidos han tenido que incrementar el costo de matrículas en un 20 por ciento de un año a otro.

Si uno logra ahorrar $600 al mes, a un interés de 5 por ciento, podrá costear una carrera en una universidad privada ($205.000) de aquí a 18 años. Nuevamente, suponemos que el alza en las matrículas no superará el 8 por ciento anual, lo cual es un cálculo conservador. Estas cifras sirven sólo para predecir el costo de la matrícula y del sostenimiento del estudiante fuera de la casa de sus padres si se va a estudiar a otra ciudad, y no incluyen gastos como los viajes a casa durante las vacaciones, los viajes de los padres a visitar a su hijo en la universidad, seguro médico, seguro para el auto del hijo y otra serie de gastos que sería muy largo enumerar.

Pensábamos que con lo que ahorrábamos teníamos arreglado el asunto de la universidad, pero la bolsa tuvo un bajón hace un par de años y de repente tenemos una hija a punto de terminar el bachillerato y no sabemos qué hacer para el

*próximo año. Tuvimos que tomar algunas decisiones
radicales, y ahora ella estudia y trabaja y también ha
presentado solicitudes de préstamo estudiantil. Algo
resultará.*

—TANIA

¿Cuál será el precio de dejar de trabajar?

Muchas mujeres hoy en día están optando por la alternativa de dejar de trabajar para acompañar a sus hijos durante los primero años. Cuando vuelven al mercado laboral pueden encontrarse con que quienes han permanecido allí van mucho más adelante que ellas. Un subconjunto de este grupo de mujeres optará por ajustar su carrera de manera que puedan pasar más tiempo en la casa, con sus hijos.

Hay algunas investigaciones que muestran que muchas mujeres no quieren volver a trabajar tiempo completo una vez que han dedicado un período a sus hijos en casa. Arlene Rossen Cardozo, autora de *Sequencing: A New Solution for Women Who Want Marriage, Career, and Family*, afirma que 90 por ciento de las madres trabajadoras que entrevistó buscaban trabajar media jornada o con horarios flexibles, de manera que pudieran cumplir su deseo de pasar más tiempo con los niños. Aunque Cardozo se muestra muy optimista ante la posibilidad de que la mujer vuelva a un puesto del mismo nivel del que dejó, también deja en claro que esto se debe a que las mujeres han planteado nuevas exigencias a sus empleadores y que, al menos algunos de ellos, están respondiendo de manera favorable.

Como se dijo antes, algunas mujeres no vuelven al mercado laboral, luego de descubrir que ser mamás tiempo completo les resulta perfectamente satisfactorio, o porque la idea de equilibrar trabajo y familia las inhibe.

Las mujeres que vuelven al mercado laboral sin reducir su horario de trabajo también se encuentran con un prejuicio que muchos pensaban que no existía. Entre 1981 y 1990, los salarios de las mujeres sin niños pasaron de ser un 72 por ciento del salario de un hombre a un 90 por ciento, pero el de las madres que trabajan subió apenas de un 60 a un 70 por ciento del de un hombre en esa misma década. Si dejamos los estereotipos de lado, sigue siendo cierto que las madres que trabajan pueden tener menores probabilidades de quedarse a una reunión de urgencia en la noche, o viajar por largas temporadas, u horas extras no programadas, lo cual les hace difícil competir contra mujeres sin hijos u hombres casados con mamás de tiempo completo. Además, el costo (y el tiempo) de criar hijos puede frenar a una mamá, ya sea que trabaje o no, de avanzar con su educación y aumentar su posibilidad de ganar dinero en el futuro. A pesar de todo, sorprende descubrir en una encuesta reciente a nivel nacional en los Estados Unidos que las madres que trabajan contabilizan más horas en el trabajo, en promedio, que sus contrapartes sin hijos.

> *Tener niños afectó el aspecto económico de mi retorno a la universidad. Quería volver a la universidad, así que me dije "hablemos de dinero". Pero ya no había con qué pagarla.*
>
> —SILVIA

> *Es como ser malabarista: hay que mantener en el aire a los hijos, el trabajo y el marido. Por lo general siento que no puedo entregarme del todo a nada, pero tampoco quiero privarme de ninguna de esas tres cosas.*
>
> —NORMA

> *Adoro a mis hijos y daría mi vida por ellos sin pensarlo dos veces pero, desde que los tengo, perdí muchas de las cosas que me gustaba hacer. Tuve que recortar de manera drástica el tiempo que le dedico al trabajo y a mis pasatiempos preferidos, lo cual ha sido duro.*
>
> —CATHY

Además de todo lo anterior, las mujeres aún no reciben ninguna compensación por sus quehaceres domésticos. Eso también es ingreso perdido. Para una mamá que trabaja fuera de casa, se trata de un sueldo que no recibirá por el "segundo turno" que dedica al hogar después del trabajo. Lo mismo le pasa a una mamá de tiempo completo, además del salario que ya pierde por no estar en el mercado laboral. Una cosa o la otra son golpes fuertes al nivel económico.

Hay una buena cantidad de sitios web donde uno puede calcular lo que le costará tener y criar a un hijo según sus circunstancias específicas. Si éste es un aspecto de la maternidad que considera importante, le recomendamos investigar en internet o leer alguno de los libros que encuentre en librerías o bibliotecas sobre este asunto.

¿Cómo hacer para costear los gastos de una discapacidad?

Si tiene un bebé discapacitado, o si su hijo desarrolla algún problema de este tipo, puede ser un reto encontrar la manera de financiar las necesidades especiales de ese niño. Uno puede verse en el caso de múltiples hospitalizaciones, frecuentes visitas al médico, viajes a clínicas que se especialicen en ese tipo de discapacidad (incluyendo la estadía en hotel de los padres), procedimientos complejos y poco comunes que las pólizas de seguro no cubren, compra o alquiler de equipo médico necesario en casa para el niño y, a largo plazo, arreglos económicos para asegurarse del cuidado que reciba el niño después de la muerte de sus padres.

Hay asistencia económica y algo de protección legal para estos niños, pero los padres que han pasado por esa experiencia afirman que esa ayuda nunca es suficiente. Por ejemplo, se supone que por ley en Estados Unidos las escuelas deben contar con las facilidades para permitir que los niños discapacitados reciban una educación que se ajuste a sus necesidades especiales. El seguro social y otras fuentes de asistencia pública también proporcionan ayuda pero, desafortunadamente, las tendencias políticas y las prioridades presupuestales de los gobiernos pueden hacer que esta ayuda se reduzca o aumente, así que no conviene confiar por completo en ella. Los padres también pueden abrir fondos de inversión destinados a cubrir las necesidades futuras del niño. Es un camino duro para cualquier padre, tanto desde el punto de vista emocional como desde el económico, pero quienes han criado niños con necesidades especiales afirman con frecuencia que encontraron reservas de fuerza interior y soluciones económicas imaginativas, cosas que jamás supusieron que tendrían, para que sus hijos tuvieran la atención adecuada.

Dejé de trabajar durante cuatro años para cuidar a mi hija. Mi ex marido pagaba parte de los costos de la niña, mis padres me ayudaban y conseguí que el gobierno me apoyara a través de un seguro social de discapacidad. Mi patrón logró juntar dos empleos de tiempo parcial para hacer uno de tiempo completo y que así yo obtuviera los beneficios laborales. Han sido increíbles en mi trabajo.

—INGRID

10

¿Qué pasa si cambio de opinión?

Para este momento, no queda duda de que para muchas mujeres, la decisión de ser madres está llena de ambivalencia. A través de toda nuestra infancia, adolescencia y luego entre los veinte y los cuarenta, y a veces más allá, la decisión es como un columpio que se mece entre la maternidad y la vida sin hijos.

A veces decidimos optar por una vida sin hijos durante la etapa más favorable para la reproducción y luego decidimos que sí queremos hijos, cuando ya el embarazo no se produce tan fácilmente o es imposible. En otros casos, el destino nos obliga a enfrentar un hecho inesperado, un embarazo no planeado.

¿Puedo tener hijos después de los cuarenta?

La tecnología de reproducción asistida (ART, por su sigla en inglés) es un campo reciente de la ciencia, plagado de dificultades, que no ofrece mayores garantías y que a menudo decepciona a parejas desesperadas y llenas de anhelo. A pesar de esto, esta tecnología ha logrado cumplir los sueños de muchas parejas que no hubieran podido tener hijos de otra manera.

En 1999, poco más de 30.000 bebés fueron fruto de casi 87.000 ciclos de ART. Algunos fueron nacimientos múltiples, lo cual hizo que las probabilidades por cada mamá sean menores de lo que parece. La cifra actual de embarazos que llegan a término (con uno o más bebés vivos) es de aproximadamente 21.500 a partir de 87.000 ciclos. Por lo menos uno de los críticos del campo, el doctor Joseph Schulman, considera que estas cifras siguen siendo altas. A las clínicas se les exige por ley que publiquen su tasa de nacimientos vivos, así que Schulman ve ahí un incentivo para que las clínicas escojan mujeres más jóvenes, o de mejor salud, para conseguir que sus cifras sean más favorables y les permitan atraer más pacientes.

En casi todas las grandes ciudades hay clínicas de fertilidad. Es probable que las mujeres que viven en ciudades más pequeñas tengan que desplazarse a la ciudad para conseguir servicios avanzados de fertilidad. El mejor lugar para encontrar un directorio de clínicas de fertilidad es internet: escriba "clínicas de fertilidad" o "clínicas de infertilidad" en cualquier motor de búsqueda. Además de la búsqueda en el ciberespacio, puede encontrar directorios en las bibliotecas principales de la ciudad, con ayuda de alguno de los bibliotecarios.

Si llega a descubrir que sus óvulos no son suficientes para la fertilización, puede considerar la idea de una donación de óvulos. Este proceso es bastante más complejo que la donación de semen. Tendrá que sumar el costo adicional de la donación y tener en cuenta el hecho de que ese hijo que concebirá no va a tener su misma composición genética.

> *Durante siete años lo intenté con mis propios óvulos, ¡y me deprimí tanto! No tenía sentido intentarlo otra vez, y no podíamos costear una donación. Le conté todo a una amiga, que dijo "tengo óvulos, te puedo dar algunos". Tuvimos que hipotecar otra vez la casa, pero mi amiga pasó por dos ciclos con nosotros. Yo no lo podía creer.*
>
> —GLORIA

¿Podré adoptar más adelante?

En este caso, también es importante que se asesore de una entidad competente en su ciudad, pues los trámites y los costos varían de país a país.

En los Estados Unidos la demanda de niños sanos para adopción ha crecido en forma constante desde el final de la Segunda Guerra Mundial. Las cifras más recientes muestran que, en los Estados Unidos, hay casi medio millón de personas tratando de adoptar un niño, pero sólo 100.000 han iniciado los trámites. Hay unos 3,3 padres en busca de niños para adoptar por cada adopción.

La mayoría de las familias adoptantes tienen a ambos padres, y la edad de éstos varía entre treinta y uno y cuarenta años. Hay una ligera tendencia al aumento en adopciones por parte de parejas mayores. Entre los padres adoptantes, la mayoría ha empezado o terminado sus estudios universitarios, y quienes adoptan a través de canales independientes suelen estar en un nivel de ingresos superior a los que adoptan a través de entidades públicas.

En los Estados Unidos, las tasas más altas de solicitud de adopción se dan entre mujeres que querían tener tres hijos o más, entre las que han perdido un bebé o se les ha muerto un hijo, mujeres casadas o que lo estuvieron en algún momento, o mujeres mayores. También, hoy hay más hombres solteros que quieren adoptar.

La adopción por parte de solteros va en aumento, tanto en las entidades de los Estados Unidos como a nivel internacional. La mayoría son casos de solteras que adoptan a niños ya crecidos, a quienes acogieron como madres sustitutas. Cuando los futuros padres son solteros, se enfrentan a mayores dificultades con la adopción, aunque numerosos estudios han demostrado que los resultados de estos casos de adopción son igualmente buenos, o a veces mejores, para los niños. Puede ser que los padres solteros tengan que hacer más intentos de adopción que las parejas de edad similar e ingresos semejantes. Las adopciones por parte de padres solteros, en los Estados Unidos, muestran una proporción más alta de niños "difíciles de ubicar" (de minorías, ancestros de razas distintas, discapacitados y ya mayores).

Leyes aprobadas en 1994 y 1996 prohibieron la práctica de usar como criterios de adopción la raza, el color de piel o la nacionalidad de origen de los padres adoptivos o sustitutos, o del niño. Las cifras más recientes con respecto a la adopción en los Estados Unidos muestran que menos del 10 por ciento de las adopciones son transraciales, pero 15 por ciento de las asignaciones a familias sustitutas sí son transraciales. Un 1 por ciento de las mujeres blancas adoptan niños negros, 5 por ciento de las mujeres blancas adoptan niños de otras razas y un 2 por ciento de las mujeres de otras razas adoptan niños blancos, incluso nacidos fuera de los Estados Unidos.

En la actualidad, las entidades públicas procesan casi exclusivamente las adopciones de niños con necesidades especiales, que son la opción menos costosa para los futuros padres: los costos varían entre prácticamente nada y $2.500 dólares, incluyendo el viaje y las tarifas del abogado. Debido a un programa del gobierno de los Estados Unidos, la mayor parte de los estados reembolsan los gastos de adopción, siempre y cuando no sean recurrentes, hasta un cierto límite. Las mujeres y las parejas interesadas en la adopción a través de entidades públicas pueden recibir apoyo del gobierno que les ayudará a contactar organizaciones especializadas en el área.

Las entidades privadas de adopción pueden cobrar sumas de $30.000 dólares e incluso más. Esto incluye los costos de la consejería para los padres biológicos, el estudio y la preparación del hogar de los padres adoptivos, los gastos del nacimiento del niño, supervisión del niño hasta que la adopción se complete y costos de la entidad por gastos de operación y estructurales. Además, los trámites legales pueden costar miles de dólares.

La adopción independiente, donde los futuros padres contactan a un abogado especialista en adopciones y anuncian en el periódico y en internet que buscan a una madre que quiera entregar a su hijo, pueden llegar también a la suma de $30.000 dólares (aunque algunos abogados calculan mucho menos), dependiendo de qué tantos anuncios publiquen los padres adoptantes y de cuántos gastos maternos tengan que pagar. Esos gastos no se reembolsan, ni siquiera si la madre biológica se arrepiente de entregar a su bebé en adopción. En algunas partes, los padres adoptantes deben correr también con los costos de los trámites legales de la madre biológica, y en algunos estados la ley reglamenta con exactitud cuáles son los gastos que deben sufragar los padres adoptantes.

> *Hicimos muchos intentos fallidos de adoptar en los Estados Unidos. Por lo menos tres veces, cuando yo ya estaba a punto de tener al bebé en mis brazos y podía casi sentirlo, las cosas fallaron. Gastamos muchos de nuestros ahorros costeando los gastos de madres biológicas que cambiaban de idea cuando nacía el bebé.*
>
> —KELLY

¿Qué hay sobre la adopción internacional?

Una de las ventajas de la adopción a nivel internacional es el factor de la edad. A diferencia de lo que sucede con la mayoría de las entidades de adopción en los Estados Unidos, países como China consideran que los padres mayores son una opción mejor para los bebés. Pero los padres que adoptan en otro país pueden enfrentarse a un obstáculo que rara vez se presenta en las adopciones dentro de los Estados Unidos: que el niño asimile su cultura adoptiva y se integre a la comunidad, pero sin que pierda la conciencia de su cultura de origen.

Los padres de hijos adoptados en otros países también pueden verse en el problema de tener un acceso limitado a la historia médica del niño. Muchos de los niños que ofrecen las entidades de adopción han sido abandonados, o estas entidades no se preocupan por mantener tales registros. Quienes estén considerando la opción de adoptar un niño en otro país deben tener en cuenta que prácticamente no hay manera de ponerse a salvo del riesgo de que el niño desarrolle necesidades especiales. El Departamento de Estado de los Estados Unidos exige un certificado médico adicional, extendido por un médico estadounidense, pero incluso este examen puede no detectar afecciones que vayan a desarrollarse con el tiempo. Por ejemplo, los niños que aguardan adopción pueden recibir muy poca estimulación o atención individual, y esto los hace propensos a mostrar retrasos en el desarrollo y posteriores problemas psicológicos. En países asolados por la guerra o por el sida, algunos niños pueden haber estado expuestos a horrores inimaginables, que también pueden tener un efecto prolongado en su desarrollo emocional.

La adopción a través de una entidad internacional privada o a través de un canal independiente en los Estados Unidos tiene un costo que se calcula entre $7.000 dólares y $25.000, o más. Estas cantidades incluyen las tarifas de la entidad, los costos de los trámites de inmigración del niño y los gastos jurídicos. En los casos de adopciones internacionales, siempre pueden resultar gastos adicionales, como el cuidado del niño por parte de una familia sustituta, el viaje de los padres y las tarifas de acompañantes. Algunos países también cobran la atención médica del niño. Pero, como ya lo mencionamos antes, es probable que los padres adoptantes se vean en circunstancias económicas mejores, al tener más edad, y los gastos serán un aspecto secundario frente a los demás asuntos relacionados con la adopción.

Cuando fue evidente que la adopción de China, nuestra hija, era un hecho seguro y simplemente faltaba hacer el papeleo, hice de abogada del diablo con mi marido: cuando China tenga tantos años, nosotros tendremos tantos y probablemente no estaremos por aquí cuando se case. Pensaba en lo que mi hermana había hecho por sus hijos y me preguntaba: "¿Me gustaría ir a patinar o salir de campamento?" Tenía serias dudas al respecto. Pero cuando mi esposo empezó a devolverme las preguntas sentí terror. Tener a China con nosotros me ha servido para curarme. No siento el menor remordimiento por no haber tenido un hijo biológico. Jamás pensé que llegaría a decir eso. La niña me ha hecho cambiar de idea. Simplemente quisiera tener treinta y cinco años.

—FLORA

¿Y entregar a este bebé
en adopción?

Menos de 3 por ciento de las mujeres blancas sin casarse y 2 por ciento de las afroamericanas dan a sus bebés en adopción en los Estados Unidos. Las que lo hacen, por lo general provienen de grupos socioeconómicos altos, tienen un buen nivel de educación y vienen de familias intactas que las respaldan en su decisión.

Las mujeres que deciden tener al bebé y darlo en adopción cuentan con muchos recursos a su disposición. Si se supone que el bebé está sano, es posible encontrar parejas que lo quieran adoptar y correr con los gastos médicos durante el embarazo. La mujer embarazada retiene sus derechos sobre el bebé hasta el momento de firmar los documentos definitivos, luego del nacimiento, así que no arriesga nada.

11

¿Seré una buena mamá?

Usted no tendrá manera de saber si será una buena mamá o no hasta que tenga un hijo. Sin embargo, no está de más que usted defina, a consciencia y en sus propios términos, lo que es ser una "buena mamá". Todos los días nos enfrentamos a imágenes, expectativas e idealizaciones de la sociedad alrededor de la maternidad. En el extremo opuesto de esas imágenes idealizadas vemos que todas las madres son seres humanos y que encaran las mismas pruebas e incertidumbres, lloran por las mismas decepciones y gritan en silencio por las mismas frustraciones que los demás.

¿Qué tal que fracase?

El temor al fracaso es común entre las mujeres que están sopesando la idea de la maternidad, pero el fracaso real es mucho menos común. Es cierto que uno no va a estar a la altura en todos los momentos, pero ser un padre o una madre que reconoce sus imperfecciones da más flexibilidad que tratar de mostrarse como seres perfectos. La otra ventaja es que los niños son bastante comprensivos.

Tener niños implica estrés y esfuerzo y mucho trabajo, pero ellos también le dan a uno mil oportunidades para hacer las cosas bien, o mejor.

—CLARA

Me di cuenta de que en eso de ser mamá no existe el "fracaso" como tal... a uno nunca lo expulsan del juego. Uno fracasa todos los días, pero también gana todos los días, y hay que volverlo hacer al día siguiente. Uno no puede darse por vencido e irse a casa. No hay cómo salirse del juego.

—ERICA

Para algunas mujeres, los miedos relacionados con la maternidad empiezan a salir a la superficie durante el embarazo, cuando se dan cuenta de que el bebé viene en camino, por lo general luego de la primera ecografía en la que pueden distinguir al feto, o cuando el embarazo empieza a notarse, o cuando sienten al bebé moverse en su interior.

El miedo más grande que tengo ahora es la preocupación de llegar a ser una buena madre... si seré lo suficientemente

211

*inteligente como para saber cómo y cuándo alimentar al
bebé. ¿Y qué pasará cuando el bebé vaya a la escuela? Por
ser maestra, sé que la vida familiar realmente afecta a los
niños. Quisiera tomar las decisiones adecuadas mientras van
creciendo, y no malcriarlos. Es tan fácil ver a los hijos de
alguien y decir: "No voy a ser así". No quiero ser estricta,
pero tampoco demasiado permisiva.*

—CECILIA

El miedo al fracaso a menudo tiene que ver con nuestras experiencias de la infancia, tanto las buenas como las malas. Crecemos viendo a nuestros padres a través de nuestros ojos de niñas.

*Una vez, cuando yo era muy niña, quería salir a comer un
helado con mi papá y mi hermana. Mi papá no me quiso
llevar. Fue uno de esos momentos que se me quedaron
grabados en la mente, pues me hizo sentir que no valía la
pena, rechazada. Pero años más tarde, hablé con mi papá al
respecto, y él me contó que ese día en particular necesitaba
hablar con mi hermana, a solas, de algún problema que ella
tenía en la escuela. El rechazo no tenía nada que ver
conmigo.*

—AMANDA

A veces lo que nos hace falta es un poco de contexto, la capacidad para entender que no somos los únicos que han perdido la paciencia con sus hijos.

*Anoche mi niño estaba gritando. No sé por qué gritaba
porque todavía no habla. El teléfono empezó a timbrar, la
cena se estaba quemando y había tenido un día terrible en el
trabajo. Así que perdí la paciencia. Le grité, lo alcé, lo metí
en la cuna y salí dando un portazo. Todo eso lo hizo gritar
más fuerte y yo me senté a llorar.*

—BÁRBARA

La primera vez que una madre pasa por un momento así de dramático puede ser aterradora, especialmente si la familia de la que proviene es disfuncional. Las mamás con más experiencia saben que los niños pequeños a veces gritan sin razón, que si usted está cansada eso limita su reserva de paciencia y que alejarse del niño para llorar un buen rato puede ser la respuesta adecuada y la única manera de seguir adelante. Eso no la hace una mala mamá, y al día siguiente tendrá la oportunidad de hacerlo mejor.

¿No tener hijos será la alternativa correcta para mí?

A la hora de saber si usted será una buena mamá o no, hay un punto absolutamente decisivo: sentir una aversión total hacia los niños. Si los bebés la ponen nerviosa, los niños pequeños no la atraen y cualquier contacto con un adolescente le produce ganas de gritar, probablemente la maternidad no sea para usted, no importa cuánto anhele su pareja tener hijos, o que su familia le diga que sería una mamá fabulosa.

> *Crecimos en medio de la pobreza. No teníamos para pañales desechables, sino de los de tela. Uno de mis oficios era limpiar los pañales. Yo debía tener 9 ó 10 años, y tres hermanitos que usaban pañales. Me acuerdo de meter un pañal en agua a remojar y de pensar "jamás voy a tener hijos, jamás, nunca".*
>
> —CAROLA

Hay otras reacciones similares a esta aversión total, y pueden indicarle que, en caso de tener un hijo, le esperan momentos y retos difíciles. Pero ninguno de esos obstáculos es insuperable, y muchas mujeres resultan sorprendidas por la facilidad y la rapidez con que se adaptan a la maternidad, a pesar de lo preocupadas que estaban antes de que el bebé naciera.

Si el desorden le produce hormigueo en la piel, ya puede imaginarse lo que puede pasar si tiene un bebé o un niño pequeño en casa: ¡el hormigueo puede llegarle hasta los huesos! Tendrá que aprender a ser flexible y a compensar de otras formas.

Si la parte más sagrada de su rutina diaria es una buena noche de sueño, no tendrá más remedio que bajarla del altar si tiene un bebé. Será necesario reducir sus expectativas o buscar ayuda de otros para proteger su sueño.

Si para usted es importante mantener el control del horario y de los compromisos del hogar, piense en lo que sucederá el día que su hijo adolescente haya hecho planes precisamente para cuando usted organizó una salida en familia.

Soy una persona extremadamente organizada y poco flexible. No soy muy tolerante con la gente que hace las cosas de una manera distinta. Probablemente no hubiera tolerado todas las cosas que hacen los niños, como pintar en las paredes y demás. En retrospectiva pienso que si hubiera tenido hijos, hubieran tenido muchos problemas con esta mamá.

—DIANA

¿Y si me arrepiento de haber tenido hijos?

Habrá momentos en que usted tal vez se arrepentirá de haber tenido hijos. Y aunque resulta difícil reconocerlo, casi siempre ha habido por lo menos un momento en que una mujer mira a su bebé, a su niño o a su hijo adolescente con algo de duda o arrepentimiento. Eso no nos hace malvadas, sino simplemente humanas.

También podrá haber momentos en que sentirá que no puede seguir adelante; es importante pedirle apoyo a su pareja, a sus papás, a sus suegros, a la niñera o a la guardería, a los amigos que tengan hijos, a la comunidad religiosa, la vecina, o a cualquier persona que pueda relevarla mientras toma un respiro para luego seguir adelante con su tarea.

Ocasionalmente hay mujeres que se sienten tan agobiadas por esta situación que dejan el hogar por completo, pero siguen participando activamente en la vida de sus hijos. Margaret Sanger, pionera del control de la natalidad a principios del siglo XX, se vio en esa situación, al formar parte de "un matrimonio feliz pero limitante". Dejó a su marido y a sus hijos para seguir sus propios intereses. Puede ser que incluso hoy en día sea muy difícil enfrentar las críticas de quienes no entienden el problema, pero algunas mujeres han descubierto que esta solución es mejor, no sólo para ellas sino también para sus hijos. Una mujer que está en una relación de abuso con un hombre que no es un mal padre, o que no cuenta con los medios para llevarse a sus hijos, puede abandonar el hogar pero seguir participando en la vida de sus hijos desde una distancia segura para ella. Una mujer que lucha contra su dependencia al alcohol o a las drogas, que se ve exacerbada por el estrés de los niños, podría pasar ratos más breves pero mejores con ellos en estas condiciones. Y una mujer que no encuentre el apoyo que necesita y no sepa qué hacer con el resentimiento que lleva dentro, puede descubrir que el espacio que le da el haberse ido de la casa la convierte en una persona más feliz y en una mejor madre en muchos otros aspectos.

> *Fue maravilloso no tener los niños a mi cargo. Podía planear mis ratos con ellos. Empezamos a divertirnos mucho juntos. De hecho, de los dos papás, yo era la divertida, porque era la que no tenía que preocuparse por ser modelo de autoridad.*
>
> —CONNY

> *Dejar a mis hijos fue la decisión más dura de toda mi vida. Además, la gente pensaba, y a veces me lo decía, que qué tipo de madre era yo para dejarlos. Bueno, era de la clase de las que los quieren tanto como para saber cuándo dejarlos. Ahora estamos todos más contentos, y ya no me importa lo que piensen los demás.*
>
> —LUCY

¿Y si me arrepiento
de no haber tenido hijos?

Si usted decide no tener hijos, las probabilidades de que pase por momentos en que anhelaría haberlos tenido son muchas. Puede ser que la sorprenda sentirse así, y también es posible que se pregunte si tomó la decisión correcta a fin de cuentas.

Ése es el momento para hacer un balance de su vida, sus amores y su familia. La decisión la tomó tras muchas cavilaciones y tras sopesar los pros y los contras. Habló con gente en la cual confía y ha leído y oído historias de mujeres que han tenido hijos y de mujeres que no.

Claro está que la decisión de tener hijos o no se toma con el corazón, y es probable que éste cambie de idea con el paso del tiempo. Si eso es lo que le sucede, puede ser que necesite un tiempo para hacer el duelo de esa pérdida que siente. Más adelante podrá tomar algún paso para involucrar niños en su vida y tener un impacto sobre ellos. Aunque no es lo mismo que tener hijos "propios", puede servir para llenar el vacío que usted detecta en su vida.

> *Una amiga mía, que no tiene hijos, llegó a la conclusión de que si llegaba a tener un niño, éste terminaría por convertirse en una persona más en su vida. Creo que ésa es una buena razón para no tenerlos. Y ella no se arrepiente de su decisión.*
>
> —MARTA

La maternidad es una decisión personal

La maternidad implica un proceso de aprendizaje y crecimiento que es imposible de predecir, es un increíble viaje de autodescubrimiento y un desafío que abarca la vida entera.

Los niños pueden desbordar todas nuestras expectativas y nuestras fantasías más descabelladas, y también decepcionarnos terriblemente. Como padres, podemos aspirar a inculcarles algunos valores importantes y fundamentales. Más allá, es tarea de ellos madurar y convertirse en lo que deben llegar a ser.

Y si decide no tener hijos, tiene ante sí una aventura igualmente emocionante, aunque diferente, con la opción de compartir su vida con niños, si así lo desea, o tomar alguna de las infinitas posibilidades que aguardan cuando uno no tiene la responsabilidad de la maternidad.

La decisión es sólo suya.

Palabras sabias

Selección de citas de nuestras encuestas y entrevistas

Espera, espera y espera hasta que te sientas segura de ti misma, hasta que tengas algo que darle a ese niño por venir. Y no esperes nada a cambio, pues esos pequeños demonios no te lo van a dar. Hay tantas mujeres que piensan que su hijo las va a adorar. El niño se va a adorar a sí mismo. Tienes que contar con la seguridad para saber darle lo que se le debe dar. Tienes que estar dispuesta a sacrificar parte del tiempo que destinarías para ti. Tienes que estar preparada para dejar de lado muchos de tus sueños si quieres criar bien a un niño.

Hay que estar listo, pero uno no necesita esperar a que todas las cosas de su vida estén perfectamente alineadas para tener hijos. Cuando uno desea una cosa, encuentra la manera de hacer que todo lo demás funcione. Los niños implican mucho trabajo, pero traen consigo enormes satisfacciones.

Antes de tener un hijo con alguien, hay que tener en cuenta la manera en que esa otra persona se comporta. Si uno ya se está haciendo cargo de todo, si esa persona depende de uno para casi todo, entonces más vale tener el bebé con alguien más, o por su propia cuenta. Lo último que uno necesita son dos bebés a los cuales cuidar.

Uno puede tomarse a la ligera la espiritualidad, pero cuando están en juego la vida y el futuro de la carne de su carne y sangre de su sangre hay que escoger entre vivir sus creencias al pie de la letra, o nada más de dientes para fuera. Mis hijos merecen toda mi protección, mi amor y mi atención, nada menos.

Hay que seguir los dictados del corazón, pero también es importante pensar en las consecuencias. Es una decisión muy difícil de tomar. Hay que pensar muy en serio en qué es lo mejor para todos los implicados: uno y esa personita de la cual uno será responsable por el resto de la vida. Es una responsabilidad enorme, y además para siempre.

Es una decisión muy difícil. Es algo que tiene que venir de dentro, que desde el fondo del alma uno quiera tener un hijo. Y no es algo para todo el mundo, pues lleva a una vida exigente y llena de desafíos que no se acaba. Eso asusta un poco.

Si quieres tener un bebé, no le des largas al asunto. Si puedes hacer algo al respecto, hazlo pronto. Entre las mujeres de mi edad hay amigas que tienen problemas de fertilidad. Es difícil, tan difícil, que algunas de ellas ya no me hablan. Y hay otras mujeres que se dedican a otras cosas.

No es fácil, siempre hay altibajos. Uno siempre tiene que querer a su hijo de forma incondicional y estar constantemente ahí, para él. Hay que asegurarse de estar lista para tener un hijo antes de dar el paso definitivo.

Es bueno esperar. Uno debe convertirse en mamá en el momento en que quiera serlo. Es una experiencia diferente para cada persona, amplía los horizontes de la vida.

Hay que mirar hasta el fondo del corazón y preguntarse si uno será capaz de dar tanto de sí, y durante tanto tiempo, y después ser capaz de volver y encontrar esa parte de uno que se había dejado atrás. Porque en algún momento uno vuelve, y se da cuenta de lo que dejó atrás. Si uno puede renunciar a algo y luego reencontrar ese algo y no sentir resentimiento ni rabia, sino más bien que todo se debió a una buena causa, entonces, está listo.

Si decides no tener hijos, puede ser que te hagan sentir como una desadaptada. Se necesita tener seguridad y confianza y fe en que uno puede salir adelante. Se necesita ser fuerte.

Se necesita tener una idea clara de quién es uno y qué quiere, y hay que ser decidido, y no dejarse llevar por un capricho. Tener un hijo no va a hacer que la vida sea más plena. Si uno anda en busca de algo que le llene la vida, es porque uno no anda muy contento consigo mismo.

Yo esperaría que las mujeres hicieran algo en la vida antes de tener hijos, que se conocieran a sí mismas. Me da gusto haber tenido tiempo para viajar, para construir una trayectoria profesional que me da satisfacción y para crecer como persona. Así que les diría a esas mujeres que traten de darse ese tiempo. Tal vez no hay que esperar tanto como yo, pero esa etapa me permitió ser una mejor mamá y una persona más estructurada.

Pregúntate qué tanto te gustan los niños. Si te gustan, pregúntate entonces en qué circunstancias te gustan. ¿Cuando entras a un restaurante o a algún sitio público, dices "¡Fantástico! ¡Hay niños!"?

Agradecimientos

Ambas queremos expresar nuestro agradecimiento, ante todo, a los cientos de mujeres que entrevistamos, o que participaron en nuestras encuestas o hablaron con nosotras y que nos relataron sus historias con tanta honestidad y generosidad. Sin ellas, este libro no existiría. También queremos darle las gracias a nuestra agente, Caroline Carney, por su incansable labor; a nuestra editora, Judith McCarthy, por su serenidad en los momentos de presión; y a nuestra gerente de producción, Ellen Vinz, por llevar a cabo el proyecto.

Diana expresa su gratitud a Khris Sherlock, Carolyn Hanes y Phyllis Dye, cada una de las cuales ayuda a su manera a que proyectos como éste sean realidad, tanto cuando Diana está en Duke como cuando está en otro lugar. También les da las gracias a los cientos de mujeres que han compartido con ella sus experiencias y su sabiduría a lo largo de estos 30 años de dedicación a la práctica médica.

Suzan (suzan@lastdraft.com) manifiesta su agradecimiento a quienes apoyaron este proyecto en su etapa inicial, como Sally Faith Dorfman, Karen Kubby, Pat Ernenwein, Nancy Burgoyne, Jill Vibhakar, Lori Erickson, Paul Ingram, Gail Messenger, Susan Johnson, Caroline Downs, Katharine Assante, Effie Mihopoulos, Karen Ford, Pat Badtke, Kay Irelan, Jeanne Stokes y Lucia Valenska. Gracias a Jeannette Cézanne, colega y miembro del sindicato de escritores de los Estados Unidos, por su diligencia en la verificación de datos. Gracias también al equipo de la residencia Java House de Prairie Lights, por permitirle quedarse más tiempo del acordado y al Press Citizen de Iowa City por entender que tenía que irse tan pronto. Gracias, como siempre, a su mejor amigo y compañero, Paul Durrenberger. Por último, gracias a la mujer que estuvo allí desde el principio, que siempre ofreció una retroalimentación valiosa y apoyo a lo largo de cada etapa del camino: Kate Gleeson, una escritora excepcional y una amiga todavía más excepcional.